新潮文庫

シッダールタ

ヘッセ
高橋健二訳

新潮社版

1962

目次

解説　高橋健二

シッダールタ

インドの詩

第一部

尊敬する友
ロマン・ロランにささげる

バラモンの子

家の陰で、小ぶねのかたわら、川岸の日なたで、サラの木の森の陰で、イチジクの木の陰で、シッダールタ（悉達多）は、バラモン*（波羅門）の美しい男の子、若いタカは、その友でバラモンの子なるゴーヴィンダ（典尊）とともに、生い立った。太陽が彼の輝く肩をトビ色に焼いた。川岸で、水浴の折りに、神聖な水浴の折りに、神聖ないけにえの折りに。――影が彼の黒い目に流れこんだ。マンゴーの森で、少年の遊戯の折りに、母の歌を聞くときに、神聖ないけにえの折りに、学者なる父の教えを聞くときに、賢者たちの談話の折りに。もう久しくシッダールタは賢者たちの談話に加わり、ゴーヴィンダとともに論争の術を修練し、ゴーヴィンダとともに観察の術、沈潜の勤めを修練した。すでにして彼は、ことばの中のことばなる「オーム」*（唵）を、声を出さずに口に発し、吸う息とともに、声を出さずに自分の中に向って言い、吐く息とともに、声を出さずに自分の中から外に向って言うことができた。魂を集中し、明思する精神の輝きに額を包まれて。――すでにして彼は、自己の本性の内部に、破壊しがたく、宇宙と一体なるアートマン*（真我）を知ることができた。

教えやすく、知に渇《かわ》いたこの子を見て父の心には喜びがわいた。むすこの中に偉大な賢者、司祭、バラモン族の中の王者たるものが成長しつつあるのを、父は見た。

母はむすこを見ると、むすこが歩くのを見ると、むすこがすわったり立ったりするのを見ると、シッダールタを、たくましきものを、美しきものを、しなやかな足をもって歩くものを、間然するところなき作法をもって母にあいさつするものを見ると、歓喜が胸にわいた。

シッダールタが、輝く額、王者の目、細い腰をして、町の小路《こうじ》を歩くと、バラモンの若い娘たちの心には、恋心がきざした。

しかし、それらの人々より以上に彼を愛していたのは、彼の友にしてバラモンの子なるゴーヴィンダであった。彼はシッダールタの目を、やさしい声を愛した。その歩きぶりを、その動作の間然するところなき作法を愛した。シッダールタの言行のいっさいを愛した。そして何よりも彼は友の精神を、火のような高い思想を、赤々と燃える意志を、高い使命の自覚を愛した。ゴーヴィンダは知っていた。「シッダールタは、普通のバラモン僧には、いけにえをつかさどる怠慢な役人には、呪《じゅ》文《もん》をあきなう強欲な商人には、見せかけばかりで空疎《くうそ》な弁舌家には、よこしまで腹黒い司祭には、そしてまた多くの畜群の中のおとなしく愚かな羊にもならないだろう」ということを。いや、ゴーヴィンダ自身もそんなものに、幾万人といるありふれたバラモン僧になろうとは思わなかった。彼はシッダールタに、愛するものに、輝かしいものについて行こうと思った。いつの日かシッダールタが神となったら、いつの日か光り輝くものの列に加わるようになったら、ゴーヴィンダはその友として、道連れとして、召使として、槍《やり》持ちとして、影として、シッダールタに従って行こうと思った。

こうしてすべてのものはシッダールタを愛した。彼はすべてのものに喜びを与え、すべてのものを楽しませた。

彼シッダールタはしかし、自分自身には喜びを与えず、自分自身を楽しませなかった。イチジクの庭のにおわしい道をそぞろ歩きながら、黙想の森の青みをおびた陰にすわりながら、日々の罪のきよめの水浴に手足を洗いながら、影深いマンゴーの森でいけにえをささげながら、間然するところなき作法を身につけながら、すべての人々から愛され、すべての人々の喜びとなりながら、彼は自分の心の中には少しも喜びを持たなかった。夢と、休む間もない思いが彼の心に、川の水から流れて来、夜の星からきらめいて来、太陽の光線から溶けて来た。夢と魂の不安が彼の心に、いけにえから煙って来、リグ・ヴェーダ*（梨倶吠陀）の詩句から息吹《いぶ》いて来、老バラモン僧の教えからしたたって来た。

シッダールタは、自分の心に不満をつちかい始めていた。父の愛は、母の愛は、そして友人ゴーヴィンダの愛も、不断に永久に彼を幸福にし、心をしずめ、満たし、満足を与えはしないだろうことを、彼は感じ始めていた。尊敬する父や他の師たちが、賢いバラモンたちが、彼らの知恵の最上の大部分をすでに彼に伝えてくれてしまったことを、彼らがその豊かな知恵を彼の待ち受けている容器の中に注いでしまったことを、彼は察知し始めていた。しかも、容器は満ちていなかった。精神は満足せず、魂は安らかでなく、心はしずめられなかった。水浴は良かった。が、それは水であって、罪を洗い去りはしなかった。精神の渇《かつ》をいやしはせず、心の不安を溶かしはしなかった。いけにえをささげ、神々に呼びかけることは、すばらしかった。——しかし、それがすべてだったろうか。いけにえは幸福をもたらしたか。神々のことはどうだったか。世界を創造したのはほんとにプラジャパティ*（生主）であったか。世界を創造したのは、真我、「彼」、唯一《ゆいいつ》、全一なるものではなかったか。神々も、我やなんじと同様に創造された、時間に従属する、はかない形体ではなかったか。そうだとすれば、神々にいけにえをささげるのは、良いこと、正しいこと、意味のある最高の行為だったろうか。「彼」、唯一なるもの、真我よりほかに、いけにえをささげ、崇敬を寄せるべきものがあったろうか。どこに真我は見いだされたか。どこに「彼」は住んでいたか。どこで「彼」の永遠な心は鼓動していたか。

各人が自己の内に抱いている自我の中、最も奥深いものの中、破壊しがたいものの中よりほかのどこであったろう？　だが、その自我、最も奥深いもの、究極のものはどこに、どこにあったか。それは肉でも骨でもなく、思考でも意識でもなかった。最も賢い人たちはそう教えた。では、どこに、どこにあったか。そこへ迫るために、自我へ、我へ、真我へ迫るために、別な道が、求めがいのある別な道があったか。ああ、だれもこの道を示さなかった。だれも、父も、師も、賢者も、神聖ないけにえの歌も、この道を知らなかった！　彼らは、バラモンとその聖典は、なんでも知っていた。なんでも知っており、いっさいのことのために心を労していた。いっさいのことより以上のために心を労していた。世界の創造、ことばや食物や呼吸の発生、五官の秩序、神々のわざなど——無限に多くのことを彼らは知っていた。——しかし、そういういっさいを知ることに価値があったろうか。もしも一つのもの、唯一のもの、最も重要なもの、ただ一つ重要なものを知らないとしたら。

たしかに、聖典の多くの詩句が、特にサーマ・ヴェーダ*（沙磨吠陀）の奥義書《おうぎしょ》*においては、この内奥究極のものについて語っていた。みごとな詩句があった。「なんじの魂は全世界なり」とそこには書かれていた。人間は眠りにおいて、深い眠りにおいて、自己の内奥に立ち帰り、真我の中に住む、と書かれていた。驚嘆すべき知恵がこれらの詩句の中に集められていた。最上の賢者のいっさいの知識がこの魔術的なことばの中に集められていた。ミツバチの集めたミツのように純粋に。いや、数えがたいほど続いた世代にわたり賢明なバラモンたちが集め保存した認識の絶大な宝庫は、軽視すべきではなかった。――だが、この最深の知識を単に知るだけでなく、生きることをなしえたバラモンは、司祭は、賢者、あるいはざんげ者は、どこにいたか。真我を家とする状態を、眠りから白日へ、生活へ、歩行へ、言行へと魔力で移した達人は、どこにいたか。シッダールタは、尊敬すべきバラモンをたくさん知っていた。とりわけ、けがれなき学者で、最高の尊敬に値する父を知っていた。父は賛嘆に値した。その挙措《きょそ》は静かで高貴だった。その生活は清らかで、そのことばは賢明だった。その額には高尚《こうしょう》微妙な思想が宿っていた。――父も、そのように博識な人も、浄福の中に生きていたか。平和を持っていたか。父も、求める人、渇《かわ》く人にすぎなかったのではないか。父は絶えずくり返し、渇《かっ》する人として、神聖な泉で、いけにえで、書物で、バラモンの問答で渇をいやさねばならなかったのではないか。非難の余地のない人なのに、なぜ父は毎日罪を洗い落さねばならなかったのか。なぜ毎日、毎日あらたに、清めのために骨を折らねばならなかったのか。父の中に真我はなかったのか。父その人の心の中に源泉は流れていなかったのか。自我の中の源泉、人はそれをこそ見いだし、それをこそ自分のものにしなければならなかった！　そのほかのいっさいは探索であり、まわり道であり、迷いであった。

シッダールタの考えはこうであった。これが彼の渇《かわ》きであり、悩みであった。たびたび彼はチャーンドーギャ奥義書*の中から次のことばを唱えた。「まことに、梵《ぼん》*の名はサッチャム（真理）なり——まことに、それを知るものは、日々天界に入る」。天界が近いと思われることがたびたびあった。しかし、そこに完全に到達したことはついぞなかった。最後の渇《かつ》をいやしたことはいまだかつてなかった。彼が知っており、その教えを受けた賢者や最高の賢者の中にも、そのすべての中にも、天界に完全に達した人、永遠の渇を完全にいやした人は、ひとりもいなかった。

「ゴーヴィンダよ」とシッダールタは友に向って言った。「愛するゴーヴィンダよ、私とともにバンヤン樹の下に来たまえ。静思にいそしもうではないか」

ふたりはバンヤン樹のもとに行き、腰をおろした。シッダールタはこちらに、二十歩離れてゴーヴィンダが。——聖音オームを唱える用意をして腰をおろしながら、シッダールタは例の句をくり返しつぶやいた。

オームは弓、魂は矢、
梵は矢の的
断じて射あてよ。

静思の修行のいつもの時間が過ぎると、ゴーヴィンダは立ちあがった。夕方になっていた。夕刻の水浴を行う時間であった。彼はシッダールタの名を呼んだ。シッダールタは返事をしなかった。静思してすわり続けていた。その目は非常に遠い目標にじっと向けられていた。舌の先が少し歯の間から出ていた。彼は呼吸していないように思えた。こうして静思にひたり、オームを思い、魂を矢として梵に向って放ちながら、すわり続けていた。

あるときシッダールタの町を、沙門《しゃもん》すなわち巡礼の苦行者たちが通った。やせひからびた三人の男で、老いてもいず若くもなく、ほこりまみれの肩に血をにじませ、ほとんど裸で、太陽に焼かれ、孤独に包まれ、俗世間をうとんじ、敵視し、人間の国における異邦人、やせたヤマイヌであった。彼らのあとから、静かな情熱と、身を砕く奉仕と、仮借ない捨て身の熱風が吹いてきた。

その晩、観想の時間の後、シッダールタはゴーヴィンダに向って言った。「友よ、明朝早くシッダールタは沙門のもとへ行くだろう。彼は沙門となるだろう」

ゴーヴィンダはそのことばを聞き、友の不動の顔に、弓からさっと放たれた矢のように向きを変えるよしもない決心を読むと、顔色を失った。一見してすぐゴーヴィンダは悟った。いよいよ始まったぞ、いよいよシッダールタは彼の道を行くぞ、いよいよ彼の運命は芽をふき始めたぞ、彼の運命とともに自分の運命も始まったぞ、と。彼は、ひからびたバナナの皮のようにあおくなった。

「おお、シッダールタよ」と彼は叫んだ。「君の父上はそれを許すだろうか」

シッダールタは目ざめたもののように友の方を見た。矢のように早く彼はゴーヴィンダの魂の中を読み、憂慮と献身とを読みとった。

「おお、ゴーヴィンダよ」と彼は小声で言った。「ことばをむなしく費やすのはよそう。明朝、夜明けとともに私は沙門の生活を始めるだろう。もはやそれについて話すのはやめよ」

シッダールタは、父が木皮のむしろにすわっているへやに入り、父のうしろに行き、父が、だれかがうしろに立っているのに気づくまで、じっと立っていた。バラモンは言った。「お前かい、シッダールタ？　では、何を言いに来たのか、言いなさい」

シッダールタは言った。「お許しください、父上。私は、明日うちを出て、苦行者のもとに行くことを願っております。それを申し上げにまいりました。沙門になることが私の願いです。父上がそれに反対なさりませんように」

バラモンは黙っていた。長いあいだ黙っていた。室内の沈黙が終るまでに、小さい窓のわくの中を星が移り、その形を変えた。むすこは無言で身動きせず、腕を組んで立っていた。父は無言で身動きせずむしろにすわっていた。星が空を移って行った。やがて父は言った。

「はげしい怒りのことばを話すことはバラモンにふさわしくない。だが、不満がわしの心を揺すぶる。わしはその願いを重ねてお前の口から聞きたくない」

ゆっくりとバラモンは立ちあがった。シッダールタは無言で腕組みしたまま立っていた。

「お前は何を待っているのか」と父はたずねた。

シッダールタは言った。「ごぞんじのはずです」

不満げに父はへやを出て、不満げに寝床に入り、横になった。

一時間たっても眠りが目を訪れないので、バラモンは起きあがり、あちこちと歩き、ついに家を出た。へやの小さい窓からのぞきこむと、シッダールタが腕組みして一歩も動かず立っているのが見えた。その白い上着が青白くかすかに光っていた。心に不安を抱いて、父は寝床にもどって来た。

一時間たっても眠りが目を訪れないので、バラモンはまたも起きあがり、あちこちと歩き、ついに家の前に出て、月がのぼっているのを見た。へやの窓からのぞきこむと、シッダールタが一歩も動かず腕組みして立っていた。そのあらわなすねに月光が映っていた。心に憂慮を抱いて、父は寝床に入った。

彼は一時間の後また出て来た。二時間の後また出て来た。小さい窓からのぞきこみ、シッダールタが月の中に、星の光の中に、やみの中に立っているのを見た。それから一時間ごとに彼はまたやって来て、無言でへやの中をのぞき、一歩も動かず立っているものを見、心を立腹で、不安で、恐れで、悩みで満たした。

夜が明ける前の最後の時刻に、彼はまたやって来て、へやに入り、青年が立っているのを見た。青年は父には大きく見知らぬ人のように見えた。

「シッダールタ」と彼は言った。「お前は何を待っているのか」

「ごぞんじのはずです」

「お前はいつまでもそうやって立って待っているつもりか、夜が明けるまで、昼になるまで、夕方になるまで」

「私は立って待つでしょう」

「お前は疲れるだろう、シッダールタよ」

「私は疲れるでしょう」

「お前は眠ってしまうだろう、シッダールタよ」

「私は眠ってしまいはしません」

「お前は死ぬだろう、シッダールタよ」

「私は死ぬでしょう」

「お前は父に従うよりむしろ死ぬことを欲するのか」

「シッダールタはいつも父に従いました」

「では、お前の企てを断念するか」

「シッダールタは、父に言われることをなすでしょう」

夜明けの最初の光がへやの中にさした。バラモンはシッダールタのひざがかすかに震えているのを見た。だが、シッダールタの顔には震えは見えず、その目は遠くを見ていた。そのとき、父は、シッダールタが今はもう自分のもとにおらず、ふるさとにとどまっておらず、自分を今はもう捨て去ってしまったのを悟った。

父はシッダールタの肩に手をのせた。

「お前は」と彼は言った。「森に行き、沙門となるだろう。森の中で至上の幸福を見いだしたら、帰って来て、それを教えてくれ。幻滅を見いだしたら、もどって来て、ふたたび相たずさえて神々に仕えることにせよ。では行って、母に口づけし、どこに行くかを母に言え。わしは、川に行って、最初の水浴を行う時刻だ」

彼はむすこの肩から手を放して、外に出た。シッダールタは歩き出そうとしたとき、片方によろめいた。彼は手足を制して、父の前に頭をさげ、母のもとへ、父の言いつけをはたすために行った。

最初の夜明けの光を浴びて、こわばった足でゆっくりと、まだ静かな町を去ったとき、最後の小屋のかたわらで、そこにうずくまっていた影が起きあがり、巡礼者に寄りそった。――ゴーヴィンダであった。

「来たね」とシッダールタは言い、微笑した。

「来たよ」とゴーヴィンダは言った。

沙門たちのもとで

その日の夕方、ふたりは苦行者たちに、ひからびた沙門たちに追いつき、同行と服従を申し出、受け入れられた。

シッダールタは着ていた衣服を路上の貧しいバラモンに与えた。彼は今はただ腰巻きと土色の縫ってない上張《うわっぱ》りをまとっているだけだった。日に一度だけ食をとったが、料理したものは決して食べなかった。彼は十五日間断食《だんじき》した。二十八日間断食した。彼のももとほおから肉が消えた。くぼんで大きくなった目から熱い夢がゆらゆらと燃え、ひからびていく指には長くつめが伸び、あごには、かさかさしたこわいひげがはえた。婦女に会うと、彼のまなざしは氷のように冷たくなった。美しく着かざった人と並んで町を歩くとき、彼の口はけいべつにゆがんだ。商人が商うのを、王公が狩りに出かけるのを、喪中の人々が死者を嘆き悲しむのを、売女《ばいた》が身を売ろうとするのを、医者が病人のために骨を折るのを、司祭が種まきの日を定めるのを、恋人が愛し合うのを、母親が幼児に乳を与えるのを、彼は見た。――しかしいっさいは彼の目で見るに値しなかった。いっさいは虚偽であり、悪臭を発した。いっさいは虚偽の悪臭を発し、いっさいは意味と幸福と美しさを偽装していた。いっさいは隠れた腐敗であった。世界はにがい味がした。人生は苦悩であった。

シッダールタの前には一つの目標が、ただ一つの目標があった。それは、むなしくなること、渇《かわ》きから、願いから、夢から、喜びと悩みからむなしくなることであった。自分自身から死に去ること、もはや我でなくなること、むなしくなった心で安らぎを見いだすこと、我をむなしくした思索の中で世界の驚異に胸を開くこと、それが彼の目標であった。いっさいの自我が克服され、死んでしまったら、心の中のあらゆる執着と衝動が沈黙したら、そのときこそ究極のものが、もはや自我ではない本質の奥底にあるものが、大いなる秘密が目ざめるだろう。

無言でシッダールタは、真上から直射する太陽の炎熱の中に、苦痛と渇きに焼けながら立っていた。苦痛も渇きももはや感じなくなるまで立ちつくした。雨の季節にも黙々と立っていた。頭髪から、こごえる肩に、こごえる腰や足に、水がしたたり落ちた。苦行者は、肩と足がもはやこごえなくなり、沈黙し、静かになるまで、立っていた。無言でいばらのつるの中にかがんでいた。焼けつく皮膚から血がしたたり、ただれたところからうみがしたたり落ちた。シッダールタはじっと、身動きもせず、その場に居つづけた。もはや血が流れず、もはや刺すような痛みも、焼けつくような痛みも感じなくなるまで。

シッダールタは正座して、呼吸を少なくし、わずかな呼吸でしのぎ、呼吸をとめる修練をした。呼吸で始めて、心臓の鼓動をしずめ、鼓動を減らす修練をした。その数が少なくなり、ほとんどなくなるまで。

沙門の最長老に教えられて、シッダールタは、滅我を、沈潜を、新しい沙門の規則に従って修行した。一羽の青サギが竹林の上を飛んだ——すると、シッダールタはその青サギを自分の魂の中に取り入れ、森や山々を越えて飛び、青サギとなり、魚を食らい、青サギの飢えを苦しみ、青サギの鳴き声を鳴き、青サギの死を死んだ。死んだヤマイヌが砂の岸に横たわっていると、シッダールタの魂はその死体にすっぽり入りこみ、死んだヤマイヌとなって水ぎわに横たわり、ぶくぶくにふくれ、悪臭を発し、腐り、残忍なハイエナにむしられ、ハゲタカに皮をはがれ、骸骨《がいこつ》となり、ちりとなり、野原に飛散した。シッダールタの魂はもどって来たが、死んでおり、腐敗し、ちりと化し、輪廻《りんね》の悲しい陶酔を味わい、新しい渇《かわ》きにかられて、輪廻から脱却できるすきまを、因果の終末と、悩みのない永遠との始まるすきまを、猟師のようにねらいながらじっと待った。感覚を殺し、記憶を殺し、自我から無数の他の形に入りこみ、けだものとなり、腐肉となり、石となり、木となり、水となった。そしてそのたびごとに目ざめてはまた自己を見いだした。太陽が、あるいは月が照った。彼はふたたび我となり、輪廻の中をめぐり、渇きを感じ、渇きを克服し、また新たな渇きを感じた。

シッダールタは沙門《しゃもん》たちのもとで多くのことを学び、我から離脱する多くの道を歩むことを学んだ。苦痛によって、苦痛や飢えや渇きや疲労を自発的に悩み克服することによって、滅我の道を歩んだ。冥想《めいそう》によって、あらゆる観念から感覚をむなしくして思索することによって、滅我の道を歩んだ。この道を、また他の道を歩むことを学んだ。いくどとなく彼は自我を去り、数時間、数日間、無我の中にとどまった。しかし、道は自我から離れて行っても、その終りはやはり常に自我にもどった。シッダールタはいくどとなく自我からのがれ、無の中に、けだものの中に、石の中にとどまったけれど、自我に帰ることは避けがたく、日光や月光の中で、日かげや雨の中で、ふたたび自分を見いだすときに会うのは、のがれがたかった。そして自我となり、シッダールタとなり、課せられた輪廻の苦悩をふたたび感じた。

彼のかたわらでゴーヴィンダが彼の影のように暮し、同じ道を歩み、同じ苦行に従った。奉仕と修行とに必要な以外、ふたりは話し合うこともまれだった。時折ふたりで村々を歩き、自分たちと師たちのために食べ物をこうた。

「君はどう思うか、ゴーヴィンダよ」と彼はあるとき、物乞いに歩く道すがら言った。「君はどう思うか、われわれは進歩しただろうか。目標に達しただろうか」

ゴーヴィンダは答えた。「われわれは学んだ。さらに学び続けるだろう。君は偉大な沙門になるだろう、シッダールタよ。君はまたたく間にあらゆる修行を身につけた。老いた沙門たちはたびたび君を賛嘆した。君はいつかは聖者となるだろう、ああ、シッダールタよ」

シッダールタは言った。「友よ、ぼくにはそうは思えない。ぼくが今日まで沙門のもとで学んだことなんか、ゴーヴィンダよ、もっと早くもっと簡単に学べただろう。売女街の居酒屋でも、荷馬車の御者やばくち打ちのあいだでも学ぶことができただろう」

ゴーヴィンダは言った。「シッダールタはぼくをからかっている。どうして君は冥想を、呼吸の停止を、飢えや苦痛に対する無感覚を、あのみじめな人間のもとで学べたというのだろう？」

シッダールタは自分自身にでも言うように、小声で言った。「冥想とは何か。肉体からの離脱とは何か。断食とは何か。呼吸の停止とは何か。それは自我からの逃避、我であることの苦悩からのしばしの離脱、苦痛と人生の無意味に対するしばしの麻酔にすぎない。そんな逃避や、しばしの麻酔なら、牛追いだって宿屋で数杯の酒か、発酵したヤシの乳液を飲むとき、見いだすのだ。それで牛追いは自分を忘れ、生活の苦痛を忘れ、しばしの麻酔を見いだす。彼は、数杯の酒で寝入り、シッダールタやゴーヴィンダが長い修行のうちに肉体から脱出して、無我の中にとどまるときに見いだすものを見いだすのだ。そうなんだよ、ゴーヴィンダよ」

ゴーヴィンダは言った。「友よ、君はそう言うが、シッダールタは牛追いではなく、沙門は酔いどれではないことを知っている。いかにも酒飲みは、麻酔を、しばしの逃避、休息を見いだすが、酔いからさめれば、万事旧態依然たるを見いだし、少しも賢くはなっておらず、認識を集めてもおらず、一段と向上しているわけでもない」

シッダールタはほほえみながら言った。「それはぼくにはわからない。ぼくはついぞ酒飲みではなかった。ぼくは、シッダールタは、修行と冥想のうちにしばしの麻酔を見いだすばかりで、母胎の中の子どもと同様に知恵と解脱《げだつ》から遠く離れていることを知っている。おお、ゴーヴィンダよ、それをぼくは知っている」

また別なとき、シッダールタはゴーヴィンダとともに森を出て、村の中で兄弟や師のためにいくらかの食べ物をこうて歩いているうち、話し始めて、言った。「どうだろう、ゴーヴィンダよ、われわれはいったい正しい道を歩いているのだろうか。悟りに近づいているだろうか。解脱に近づいているだろうか。それともひょっとしたら、輪を描いてぐるぐるまわっているのではないか。――輪廻から脱出しようと考えているわれわれなのだが」

ゴーヴィンダは言った。「われわれは多くのことを学んだ、シッダールタよ。だが、まだ学ぶべき多くのことが残っている。輪を描いてまわっているのではない。われわれは上に向って進んでいる。輪はらせん形をなしている。われわれはもう幾段か登った」

シッダールタは答えた。「われわれの最年長の沙門、尊敬する師はいったい幾歳だ、と君は思うか」

ゴーヴィンダは言った。「六十歳を数えるかもしれない」

するとシッダールタは言った。「六十歳にもなって、涅槃《ねはん》に達していない。彼は七十歳に、八十歳になるだろう。君とぼく、われわれも同じくらい老人になり、修行をし、断食をし、冥想をするだろう。だが、涅槃には達しないだろう、彼もわれわれも。おお、ゴーヴィンダよ、思うに、沙門はたくさんいるが、おそらくひとりとして、ただのひとりも、涅槃には達しないだろう。われわれは、慰めは、麻酔は見いだすだろう。自分を欺《あざむ》く技巧はおぼえるだろう。だが、肝心なことは、道の中の道は見いださないだろう」

「そんな恐ろしいことばは口にしないでほしい、シッダールタよ！」とゴーヴィンダは言った。「あんなにたくさんの学者の中で、バラモンの中で、あんなにたくさんの厳格な尊敬すべき沙門の中で、探究し、熱心にいそしんでいるあんなにたくさんの神聖な人の中で、だれひとり道の中の道を見いださないということがどうしてあろうか」

しかしシッダールタは、多くの悲しみと嘲《あざけ》りを含んだ声で、いくらか悲しい、いくらか嘲笑的《ちょうしょうてき》な小声で言った。「ゴーヴィンダよ、まもなく君の友は、長いあいだ君とともに歩いた沙門の道を去るだろう。ぼくは渇きに悩んでいる、ゴーヴィンダよ。こんなに長く沙門の道を歩いたけれど、ぼくの渇きは少しも小さくならなかった。ぼくは終始悟りに渇き、終始疑問に満ちていた。ぼくは年々歳々バラモンにたずねた。年々歳々聖なるヴェーダにたずねた。ゴーヴィンダよ、ぼくはサイチョウかチンパンジーにたずねても、同様に良かったかもしれない、同様に賢明で有益であったかもしれない。ぼくは長い時を要したけれど、ゴーヴィンダよ、人は何も学びえないということをさえまだ学び終えていない！　われわれが『学ぶ』と称しているものは実際存在しない、そうぼくは信じるのだ、君よ、ただ一つの知があるだけだ。それは至る所にある。それは真我だ。それは私の中に、君の中に、あらゆるものの中にある。そこでぼくは、この知にとっては、知ろうと欲すること、学ぶことより悪い敵はない、と信じ始めた」

するとゴーヴィンダは途上で立ちどまり、両手をあげて言った。「シッダールタよ、そんな話で君の友を不安がらせないでほしい！　ほんとに君のことばはぼくの心に不安を呼びさます。もし君の言うとおりだとしたら、もし学ぶということがないとしたら、祈りの神聖さ、バラモンの身分の尊厳さ、沙門の神聖さはどこにあるだろう?!　おお、シッダールタよ、もしそうだとしたら、地上において神聖であり、価値あり、あがむべきいっさいのものはどうなることであろう?!」

そしてゴーヴィンダは一つの詩句を口ずさんだ。奥義書の中の一句だった。

心をきよめ、冥想しつつ真我に沈潜するものは
ことばに尽せぬ心の浄福を得ん。

シッダールタはしかし黙っていた。彼は、ゴーヴィンダが自分に言ったことばを考えていた。そのことばをつきつめて考えていた。

そうだ、われわれに神聖だと思われたいっさいのもののうち、いったいまだ何が

残っているだろう、と彼は頭《こうべ》を垂れて立ったまま考えた。何が残っているか。何が価値を保っているか。そう考えて、彼は頭を振った。

あるとき、ふたりの青年が三年ほど沙門のもとで暮し、修行をともにしたころ、さまざまの道を経、まわり道を経て、一つの知らせ、うわさ、風説が彼らの耳に達した。ゴータマ*（喬答摩）と名づけられる人、正等覚《しょうとうがく》*の仏陀《ぶっだ》が現われ、自己のうちにおいて世界の苦悩を克服し、輪廻転生の車輪を停止させた、というのだった。弟子たちに囲まれ、教えつつ国内を歩いている。財貨を持たず、故郷を持たず、妻を持たず、苦行者の黄色の長衣をまとっているが、その額は朗らかに輝いている。浄福に達した人で、バラモンや王公もその人の前に身をかがめ、その弟子となりつつある、というのだった。

この風説、このうわさ、この言い伝えは、ここかしこに高らかにひびき、かおりを放った。町々ではバラモンたちが、森では沙門たちがそれについて語った。ゴータマ、仏陀の名がくり返し二青年の耳に迫って来た。良きにつけ、悪《あ》しきにつけ、賞賛の形で、中傷の形で。

たとえばある地方にペストが激しく流行しているとき、どこそこにひとりの人、賢者、知者が現われた、その人のことばと息吹《いぶ》きだけで、悪疫《あくえき》に襲われたすべての人をいやすのに足りるという報道が起ると、それが国中にひろがり、みんなその話をし、多くのものはそれを信じ、多くのものはそれを疑い、多くのものはさっそくその賢者、救い手を訪れるために出発するように、あの風説、ゴータマ、仏陀、釈《しゃ》迦《か》族の賢者のかぐわしい風説は国中にひろまった。彼は無上の悟りを得ている。前生を記憶している。彼は涅槃に達し、もはや輪廻の中にもどって来ることはなく、もはや転生の濁流の中に沈むことはない。信者たちはそう言った。多くの輝かしいこと、信じがたいことが、彼について報告された。彼は奇跡を行い、悪魔を征服し、神々と語った、と言われた。しかし彼の敵や不信の徒は、このゴータマはまやかしの誘惑者である、安逸の日々を送っている、いけにえをけいべつしている、学問がなく、修行も禁欲も知らない、と言った。

仏陀の風説は甘く聞えた。その報道からは魅力がかおっていた。たしかに世界は病んでおり、人生は耐えがたかった。――しかるに、見よ、ここに泉がわき出るように思われた。慰めに満ち、なごやかに、約束に満ちた福音がひびくように思われた。仏陀のうわさのひびき渡る至る所で、インドの国々の至る所で、青年たちはきき耳を立て、あこがれを、希望を感じた。町々や村々のバラモンの子らの間では、彼、崇高な釈迦牟尼《むに》の知らせをもたらす巡礼や他郷人はみな歓迎された。

森の中の沙門たちのところにも、シッダールタのところにも、ゴーヴィンダのところにも、その風説は迫って来た。おもむろに、一滴一滴と。その一滴一滴が希望に重かった。疑惑に重かった。彼らはそれについてあまり話しはしなかった。沙門の最長老はこの風説を快く思わなかったからである。彼は、あの仏陀と称するものは以前苦行者であり、森の中で暮していたが、やがて逸楽の生活と世俗の享楽《きょうらく》にもどった、と聞いていた。彼はこのゴータマを眼中におかなかった。

「おお、シッダールタよ」とあるときゴーヴィンダは友に言った。「きょうぼくは村に行ったら、ひとりのバラモンに招かれてその家に入った。そこにはマガダ*（摩訶陀）国のバラモンの子がいた。彼はその目で仏陀を見、仏陀が説教するのを聞いていた。ほんとうにぼくは息苦しさに胸の痛みをおぼえ、ひそかに考えた。自分もまた、ぼくたちふたり、シッダールタとぼくもまた、あの覚者《かくしゃ》の口から教えを聞く時を味わいたいものだ！　と。言ってくれ、友よ、ぼくらもかしこに行き、仏陀の口から教えを聞こうではないか」

シッダールタは言った。「おお、ゴーヴィンダよ、いつもぼくは考えていた。ゴーヴィンダは沙門たちのもとにとどまるだろうと。いつもぼくは信じていた。六十歳、七十歳になっても、沙門を飾る技巧や修行にいよいよいそしみ続けることが彼の目標であるだろうと。だが、ぼくはゴーヴィンダを知ることがあまりに少なかった。彼の心を知らずにいた。では、このうえなく貴重な友よ、君は道を切りひらいて、仏陀が教えをひろめている所に行こうと欲するのか」

ゴーヴィンダは言った。「君は嘲ることが好きだ。嘲りたければ嘲るがよい、シッダールタよ！　あの教えを聞きたいという願い、欲望が、君の中にも目ざめはしなかったか。君はかつてぼくに、自分はもう長くは沙門の道を歩かないだろう、と言いはしなかったか」

すると、シッダールタは、声の調子が悲しみと嘲りの影を帯びた彼独特の笑い方をして言った。「もっともだ、ゴーヴィンダよ、君の言うことはもっともだ。君の記憶は正しい。だが、ぼくから聞いた別なことも思い出してもらいたい。つまり、教えや学ぶことにぼくが疑いを抱き、疲れていることを、師から来ることばをぼくはあまり信じないことを。だが、友よ、では行こう。ぼくにもあの教えを聞く覚悟がある。――あの教えの最上の果実はすでに味わったと、ぼくは心の中で信じているけれど」

ゴーヴィンダは言った。「君の覚悟はぼくの心を喜ばせる。だが、どうしてそんなことが可能なのか言ってくれ。ゴータマの教えを聞かないうちに、どうしてそれがその最上の果実をぼくたちにもう開いて見せたというのか」

シッダールタは言った。「その果実を味わって、その先を期待しよう、ゴーヴィンダよ！ ぼくたちが今ここでゴータマから受ける果実の真価は、彼がぼくたちを呼んで沙門のもとを去らせる点にあるのだ！ 彼がぼくたちにもっと別なより良いものを与えうるかどうかは、友よ、心静かに待つとしよう」

その日のうちにシッダールタは沙門の最長老に、彼のもとを去ろうとする決意を告げた。年少の弟子にふさわしいいんぎんさとつつましさをもって、彼は最長老に決意を告げたが、その沙門は、ふたりの青年が出て行こうとするのを憤《いきどお》って、大声を出し、粗野なののしりの文句を用いた。

ゴーヴィンダは驚き、うろたえた。が、シッダールタは口をゴーヴィンダの耳もとに寄せて、ささやいた。「ここで老人に、ぼくが彼のもとでいささか学ぶところがあったことを示してやろう」

彼は沙門の面前に、魂を集中して立ちはだかり、おのれのまなざしで老人のまなざしをとらえ、老人を呪縛《じゅばく》して、沈黙させ、その意志を奪い、おのれの意志に屈服させ、おのれの要求することを無言でなすように命令した。老人は口をつぐんだ。その目はこわばり、意志はまひし、腕は下に垂れた。彼は力を失って、シッダールタの魔力に屈服した。シッダールタの思念は沙門を意のままにし、その命じるところを沙門に実行させた。こうして老人はいくどもお辞儀をし、祝福の身振りをし、口ごもりながら、神妙に、つつがない旅を、と祝福した。ふたりの青年は感謝してそのお辞儀にこたえ、その祝福にこたえ、さらばと言いつつそこを去った。

途中でゴーヴィンダは言った。「おお、シッダールタよ、君は、ぼくが知っている以上に沙門のもとで学んだ。老沙門を魔法のとりこにすることは、むずかしい、非常にむずかしい。ほんとに、君はあそこに居つづけたら、やがて水の上を歩くことも学んだだろう」

「ぼくは水の上を歩くことなんか望まない」とシッダールタは言った。「老いた沙門たちはそういう術で満足するがよい」

ゴータマ

舎衛城《しゃえじょう》*の町ではどんな幼児でも覚者仏陀の名を知っていた。どんな家でも、ゴータマの弟子たちに、無言で食をこうものたちに、喜捨のはちを満たしてやる用意をしていた。町の近くにゴータマの最も好きな滞在地祇園《ぎおん》の森があった。それは、覚者に帰依《きえ》している崇拝者、豪商アナタピンディカが仏陀とその弟子たちに贈ったものであった。

ゴータマの滞在地を尋ねたふたりの若い苦行者に語られた話や答えは、その地方を指示していた。舎衛城に着くと、戸口に立ちどまって食をこうた最初の家ですぐ、食べ物が提供された。ふたりはそれを受けた。そしてシッダールタは食べ物を渡してくれた婦人に尋ねた。

「慈悲深い方よ、世尊《せそん》仏陀のおられる所を私たちは知りたいのです。私たちは森の沙門で、覚者に会いに、その口から教えを聞くために来たのです」

婦人は言った。「あなた方、森の沙門はほんとに良い所に立ち寄られました。アナタピンディカの庭、祇園に、世尊はご滞在ですよ。巡礼者よ、そこで夜をおすごしになるがよろしい。世尊の口から教えを聞くために流れ寄って来る無数の人々のお泊りになる場所がそこには十分ありますから」

するとゴーヴィンダは喜んだ。喜びに満ちて、彼は叫んだ。「ありがたい。われわれの目標は達せられ、われわれの道は終った！ だが、巡礼者たちの母よ、言ってください、あなたは仏陀をごぞんじですか。その目で仏陀をごらんになりましたか」

婦人は言った。「たびたび私は世尊を見ました。世尊が黙々と黄色い長衣をまとって町を歩き、黙々と家々の戸口で施しを受けるはちを差し出し、満たされたはちを持って去るのを見た日も珍しくありません」

ゴーヴィンダは喜びに我を忘れて耳を傾け、なお多くのことを尋ね聞こうとした。が、シッダールタは先へ行こうと促した。彼らはお礼を言い、出かけた。少なからぬ巡礼やゴータマの教団の僧たちが祇園に向って歩いていたので、道をきく必要はなかった。夜になってそこに着くと、宿を求めてあてがわれた人々がひっきりなしに到着し、叫び、話していた。森の中の生活に慣れたふたりの沙門は、すぐに静かに寝床を見つけ、朝まで休んだ。

太陽が昇ると、信者や好奇心の強い人々など、どんなに大きな群れがここに宿泊したかを見て、ふたりは目を見はった。みごとな林園のあらゆる道に黄衣の僧がぞろぞろ歩いており、ここかしこの木立ちの下にすわり、観想にふけったり、宗教的な対話にふけったりしていた。日かげの多い庭はさながら町のような観を呈し、人々はミツバチのようにひしめき合っていた。多数の僧は、一日のうちのただ一回の食事である昼食の食べ物を町で集めるために、施し物をいれるはちをもって出かけた。覚者仏陀も朝、托鉢《たくはつ》に出るのを常とした。

シッダールタは仏陀を見た。神から示されでもしたように、すぐ仏陀であることがわかった。黄色い僧衣をまとった素朴《そぼく》な人がはちを手にして静かに出かけて行くのを見た。

「あれを見よ!」とシッダールタは小声でゴーヴィンダに言った。「あの人こそ仏陀だ」

ひとみを凝らしてゴーヴィンダは黄色い僧衣の人を見つめた。その人は数百の僧とどんな点でも全く区別がないように見えた。やがてゴーヴィンダも、これこそその人だ、と知った。ふたりは仏陀のあとに従い、しげしげと見た。

仏陀はつつましく考えにふけりながら歩いて行った。その静かな顔は楽しそうでも悲しそうでもなかった。かすかに心の中に向ってほほえんでいるように見えた。ひそかな微笑をたたえ、静かに、安らかに、健康な幼児さながらに、仏陀はそぞろ歩いていた。すべての僧と等しく、厳格な定めに従って、衣をまとい、足を運んでいた。しかしその顔は、その歩みは、その静かに伏せたまなざしは、その静かに垂れた手は、さらに、静かに垂れた手の指の一つ一つまでが、平和と完成を語っており、求めず、まねず、しおれることのない安らかさの中で、しおれることのない光の中で、侵すことのできない平和の中で、穏やかに呼吸していた。

こうしてゴータマは施し物を集めるために町に向って歩いていた。ふたりの沙門《しゃもん》はひたすらその完全な安らかさ、その姿の静けさによって、仏陀を見わけた。そこには、何の求めるところも、欲するところも、まねるところも、努力するところも認められず、光と平和があるばかりだった。

「きょうは彼の口から教えが聞けるだろう」とゴーヴィンダは言った。

シッダールタは返事をしなかった。彼は教えを知りたいとはあまり思わなかった。教えが彼に新しいことを教えるだろうとは、彼は信じなかった。ゴーヴィンダと同様に彼は、また聞《ぎ》き、そのまたまた聞《ぎ》きであるとはいえ、仏陀の教えの内容はくり返し聞いていた。しかし彼は注意深く、ゴータマの頭を、その肩を、足を、静かに垂れている手を見つめた。その手の指の一つ一つの関節が教えであり、真理を語り、呼吸し、におわせ、輝かせている、と思われた。この人、この仏陀は小指の動きに至るまで真実だった。この人は神聖だった。シッダールタは、この人ほどひとりの人をあがめたこと、愛したことはなかった。

　ふたりは仏陀に従って町まで行き、無言でもどって来た。彼らはこの日一日食物をとらずにすごすつもりでいたからだ。ふたりは、ゴータマがもどって来、弟子たちに囲まれて食事をとるのを見た。――彼の食べたものでは一羽の小鳥も満腹しなかっただろう――彼がマンゴーの木かげに退くのを、ふたりは見た。

　日が暮れて、暑熱がおさまり、たむろしているものたちみんなが活気を帯び、集合したとき、彼らは仏陀が教えを説くのを聞いた。その声を聞いた。声も完全であり、完全な安らかさと平和に満ちていた。ゴータマは、苦悩について、苦悩の由来について、苦悩を除く道について教えを説いた。その静かな話は安らかに曇りなく流れた。人生は苦悩であった。世界は苦悩であった。しかし苦悩からの救いが見いだされた。仏陀の道を行くものは救いを見いだした。

穏やかな、しかし確固たる声で、正等覚者《しょうとうかくしゃ》は語り、四諦《したい》＊を教え、八正道《はっしょうどう》＊を教えた。根気よく、教え、実例、反復のいつもの道を歩んだ。澄んで静かに、彼の声は光のように、星空のように、聴衆の上をただよって行った。

仏陀が話を結んだとき――もう夜になっていた――少なからぬ巡礼たちが歩み出て、教団に加えられることを願い、その教えに帰依した。ゴータマは彼らを迎え入れて、こう言った。「おん身らはよく教えを聞いた。教えはよく伝えられた。さらば歩み寄って、いっさいの苦悩を終らせるために、聖なる境地を歩め」

見よ、そのとき小心もののゴーヴィンダも歩み出て、言った。「私も世尊とその教えに帰依します」。そして弟子に加えられることを願い、受け入れられた。

そのすぐあと、仏陀が夜の憩《いこ》いに退くと、ゴーヴィンダはシッダールタに向って熱心に言った。「シッダールタよ、君を非難する資格はぼくにはない。ぼくたちふたりは覚者の語るのを聞き、その教えを聞いた。ゴーヴィンダは教えを聞き、それに帰依した。尊敬する友よ、君も解脱《げだつ》の道を歩もうとは欲しないのか。君はためらうのか。君はなおも待とうと欲するのか」

シッダールタは、ゴーヴィンダのことばを聞くと、眠ってでもいたように目をさました。長いあいだ彼はゴーヴィンダの顔を見つめた。それから小声で、嘲《あざけ》りを含まぬ声で言った。「ゴーヴィンダよ、わが友よ、今や君は一歩を踏み出した。道を選んだ。常に、おおゴーヴィンダよ、君はぼくの友であった。常に君はぼくの一歩うしろを歩いて来た。たびたびぼくは考えた。ゴーヴィンダはいつかはひとりで、ぼくを離れ、自分の魂から歩むだろうか、と。見よ、いま君は一個の男となり、みずから君の道を選んだ。その道を最後まで歩むように、おお、わが友よ！　君が解脱を見いだすように！」

ゴーヴィンダはまだ十分にのみこめずに、焦燥の調子で問いをくり返した。「どうか言ってくれたまえ、お願いだ、友よ！　そうならないことはありえないのだ、博学な友よ、君も崇高な仏陀に帰依するだろう、と」

シッダールタはゴーヴィンダの肩に手を置いた。「君はぼくの祝福を聞きもらした、おおゴーヴィンダよ。それをくり返そう。その道を最後まで歩むように！　解脱を見いだすように！」

その瞬間ゴーヴィンダは、友が自分を捨てたことを悟って、泣き出した。

「シッダールタ！」と彼は嘆きながら叫んだ。

シッダールタは彼に向ってやさしく言った。「ゴーヴィンダよ、今は君は仏陀《ぶっだ》の沙門のひとりであることを忘れるな！　君は故郷と両親を断念し、素姓と財産を断念し、君自身の意志を断念し、友情を断念した。教えはそれを欲し、世尊はそれを欲する。それで君はみずからそれを欲した。明日、おおゴーヴィンダよ、ぼくは君から別れて行く」

長い間なおふたりの友は木立ちの中をそぞろ歩いた。長い間ふたりは横になっていたが、眠れなかった！　くり返しくり返しゴーヴィンダは友に迫った。なぜゴータマの教えに帰依しないのか、いったいどんな誤りをあの教えに見いだすのか、言ってほしい、と。シッダールタはしかしそのつど友をしりぞけて言った。「安心したまえ、ゴーヴィンダよ！　覚者の教えはたいそうすぐれている。どうしてそこに誤りなんか見いだすことがあろうか」

あくる朝早く仏陀の高弟のひとり、長老の僧のひとりが、庭の中を歩きまわり、新参者として帰依したもの一同を呼び寄せた。黄衣をまとわせ、その身分の最初の教えと義務とを教えるためだった。それを聞くと、ゴーヴィンダははね起きて、もう一度竹馬の友を抱き、新弟子の列に加わった。

シッダールタはしかし考えにひたりながら林園を歩いた。

そのとき、彼は覚者仏陀に会った。うやうやしくあいさつすると、仏陀のまなざしは好意と静けさに満ちていたので、青年は勇気を出して、話しかける許しを世尊にこうた。覚者は無言でうなずいて許しを与えた。

シッダールタは言った。「昨日、おお覚者よ、あなたの至妙な教えを聞く機会に恵まれました。私は遠いところからひとりの友とともに、み教えを聞くためにやって参りました。そして私の友はあなたの方のもとにとどまるでしょう。彼はあなたに帰依しました。私はしかし改めて遍歴の旅にのぼります」

「おん身の欲するがままに」と世尊はいんぎんに言った。

「私の申すことはあまりにも大胆です」とシッダールタは言い続けた。「しかし私は世尊のもとを去る前に、ぜひ自分の考えを率直にお伝えしておきたいのです。世尊はなおしばしお耳をおかしくださいましょうか」

仏陀は無言でうなずいて許しを与えた。

シッダールタは言った。「おお世尊よ、あなたの教えの一点を私は何よりも賛嘆いたしました。あなたの教えの中ではいっさいが完全に明らかであり、証明されております。いまだかつていかなる所でも切断されたことのない完全な鎖として、因果によって作られた永遠の鎖として、あなたは世界を示しております。これほど明らかに見られたことはいまだかつてありません。これほど否定の余地なく現わされたことは決してありません。あなたの教えによって世界を、完全な連関として、すきのない、水晶のように透明な、偶然によって左右されず、神々によって左右されない連関として見るとき、およそバラモンの胸はほんとにひときわ高く鼓動するに違いありません。世界が善いか悪いか、世界の中の人生が苦しみであるか喜びであるかは、そのままにしておきましょう。それは本質的ではないかもしれません――しかし、世界の統一、いっさいの生起《しょうき》の連関、大小いっさいのものが同じ流れと因果生滅の同じ法則によって総括されていること、それがあなたの崇高な教えから明るく輝いています、おお覚者よ。さてしかし、あなたのその教えによると、万物の統一と首尾一貫が一か所で中断されております。小さいすきまからこの統一の世界に、何か無縁なもの、何か新しいもの、何か前になかったものが流れこんでいます。そしてそれは明示されず、証明されえないのです。それは世界の克服の教え、解脱の教えです。この小さいすきま、この小さい裂け目によって、永遠な統一的な世界の法則全体がまた破壊され、否定されました。このような異論をとなえることを、お許しくださいますよう」

ゴータマは静かに微動もせず耳を傾けていた。さて覚者はやさしいねんごろな澄んだ声で言った。「おん身は教えを聞いた、おおバラモンの子よ。教えについてそのように深く思いめぐらしたのは、殊勝だ。おん身は教えの中に一つのすきまを、一つの誤りを見いだした。それについてさらに思いめぐらしてほしい。だが、知識をむさぼるものよ、意見の密林に対し、ことばのための争いに対し、みずからを戒めよ。意見は大切ではない。意見は美しいことも、醜いことも、賢いことも、愚かなこともあろう。だれでも意見を信奉することも、しりぞけることもできる。おん身が私から聞いた教えは私の意見ではない。その目標は、知識をむさぼるもののために世界を説明することではない。その目標は別なものである。その目標は苦悩からの解脱である。それこそゴータマの教えるところであり、他の何ものでもない」

「おお覚者よ、私に立腹なさらないでください」と青年は言った。「あなたとの争いを、ことばのための争いを求めるために、私はこうしてあなたに話しかけたのではありません。ほんとにあなたのおっしゃるとおりです。意見は重要ではありません。だが、なお一つだけ言わせてください。私は一瞬たりともあなたを疑ったことはありません。あなたが仏陀であることを、あなたが目標に到達したことを、幾千のバラモンとバラモンの子がそれを目ざして途上にある最高の目標に到達したことを、私は一瞬たりとも疑いませんでした。あなたは死からの解脱を見いだしました。それはあなた自身の追究から、あなた自身の道において、思想によって、沈潜によって、認識によって、悟りによって得られました。教えによって得られたのではありません！　それで、私もそう考えるのです。おお覚者よ——何ぴとにも解脱は教えによっては得られないと！　悟りを開かれたときあなたの心に起ったことを、あなたはことばや教えによって何ぴとにも伝えたり言ったりすることはできないでしょう！　悟りを開いた仏陀の教えは多くのことを含んでおり、多くの人に、正しく生き、悪を避けることを教えます。しかし、かくも明らかで尊い教えも一つのことを含んでおりません。つまり、覚者自身が、幾十万人の中で彼ひとりが体験したことの秘密を含んでいないのです。私が教えを聞いたとき、考え認識したのはそのことです。そのためにこそ私は遍歴を続けるのです。――別のよりよい教えを求めるためではありません。そんなものは存在しないことを、私は知っておりますから。そうではなくて、いっさいの教えと師を去って、ひとりで自分の目標に到達するためです。でなければ死ぬためです。だが、たびたび私はきょうのこの日を、私の目が聖者を見たこの時を思い出すでしょう」

仏陀の目はじっと地面を見ていた。その探り知れぬ顔はじっと完全な平静さに輝いていた。

「おん身の考えが誤りでないように！」と世尊はゆっくり言った。「おん身が目標に到達するように！　だが、言え、おん身は、教えに帰依したわが沙門や多くの兄弟の群れを見なかったか。そしておん身は信じるか、異郷の沙門よ、あのすべてのものたちにとって、教えを去り、世俗と享楽《きょうらく》の生活にもどるほうがよりよいと、おん身は信じるか」

「そんな考えは思いもよらぬことです」とシッダールタは叫んだ。「彼らがみんな教えにとどまり、目標に到達しますように！　他人の生活を批判する資格は私にはありません。ひたすら自分のために、自分だけのために、私は批判し、選び、拒否せねばなりません。自我からの解脱をわれわれ沙門は求めます、おお世尊よ。さてもし私があなたの弟子のひとりになりましたら、私の自我が、ただ外見的に、ただまやかしに安心《あんじん》に達し、救われるだけで、実は生き続け、大きくなるようなことになりはしないか、と恐れます。そうなりましたら、み教えや、私の師事や、あなたに対する私の愛や、僧団などを私の自我にしたかもしれないからです！」

半ば微笑をたたえ、揺るがぬ明るさと親しさをもって、ゴータマは異郷の男の目をのぞきこみ、ほとんど目に見えない身振りで別れを告げた。

「おん身は賢い、沙門よ」と世尊は言った。「おん身は賢く語ることを心得ている、友よ。あまりに大きい賢明さを戒めよ！」

仏陀は歩み去った。そのまなざしと半面の微笑は、永久にシッダールタの記憶に刻みつけられた。

あのように見、ほほえみ、すわり、歩く人を、自分はまだ見たことがない、と彼は考えた。自分もあのように真実に見、ほほえみ、すわり、歩くことができるようになりたい。あんなに自由に、品位高く、隠微に、あからさまに、幼児のように、神秘的に。あのように真実に見たり歩いたりするのは、自我の奥底に到達した人間にかぎるのだ。よし、自分も自我の奥底に到達する試みをするだろう。ひとりの人を見た、その前に目を伏せずにはいられないような唯一《ゆいいつ》の人を見た、とシッダールタは考えた。ほかの人の前では、もはやどんな人の前でも、目を伏せまい。どんな人に対しても。この人の教えが自分を誘わなかったのだから、いかなる教えももはや自分を誘わないだろう。

仏陀は自分から奪った、とシッダールタは考えた。自分から奪ったが、それ以上のものを自分に与えてくれた。仏陀は自分から友を奪った。友は自分を信じていたが、今は仏陀を信じている。友は自分の影であったが、今はゴータマの影になっている。だが、仏陀は自分にシッダールタを、自分自身を与えてくれた。

目ざめ

覚者仏陀を残し、ゴーヴィンダを残し、林園を去ったとき、シッダールタは、この林園に自分の今までの生活も残り、自分から離れたのだ、と感じた。自分の心を満たしきっているこの感じを、彼はゆっくりと歩いて行きながら、思いめぐらしてみた。深く思いめぐらした。深い水をくぐるように、この感じの底まで沈み、原因のひそんでいるところに及んだ。なぜなら、原因を認識することこそ、まさしく思索だと思われたからである。それによってのみ感情は認識となり、失われることなく、本質的となり、その内に蔵するものを放射し始めるのである。

ゆっくりと歩いて行きながらシッダールタは思いめぐらした。自分はもう青年ではなく、おとなになったことを確認した。古い皮がヘビから脱落するように、ある一つのものが自分から離れたのを、自分の若い時代を通じて終始道連れであり、自分のものであった一つのものが、すなわち師を持ち、教えを聞こうという願いがもはや自分の内に存在しないのを確認した。自分の進む道に現われた最後の師をも、最も高く、最も賢い師で、最も神聖な人、仏陀をも、彼は捨てた。仏陀から離れねばならなかった。その教えを受け入れることができなかった。

思索する男は歩みをゆるめつつ、自分にたずねた。「さてしかし、お前が教えや師から学ぼうとしたことは何であったか。お前に多く教えた彼らがお前に教えることのできなかったものは何か」。そして彼は気づいた。「自我こそ自分がその意味と本質を学ぼうと欲したものだ。自我こそ自分がそれからのがれんと欲したもの、自分が克服せんと欲したものであった。しかしそれを克服することができず、それを欺《あざむ》き、それからのがれ、隠れることができるだけだった。まことに、この世のいかなるものも、この自我ほど、自分が生きており、一個の人間であって、ほかのすべてのものから分離独立しており、自分がシッダールタであるという、このなぞほど、自分の思いを悩ましたものはない。この世のあらゆるものの中で、自分について、シッダールタについて知るところが最も少ないのだ」

考える男はゆっくり歩いて行きながら、この考えにとらえられて立ちどまった。たちまちこの考えから別な考えが、新しい考えが飛び出した。それはこういうのだった。「自分が自分について何も知らないこと、シッダールタが自分にとって終始他人であり未知であったのは、一つの原因、ただ一つの原因から来ている。つまり、自分は自分に対して不安を抱いていた、自分から逃げていた! ということから来ている。真我を自分は求めた。梵《ぼん》を自分は求めた。自我の未知な奥底にあらゆる殻《から》の核心を、真我を、生命を、神性を、究極なものを見いだすために、自我をこまかく切り刻み、殻をばらばらに、はごうと欲した。しかしそのため自分自身は失われてしまった」

シッダールタは目を開いて、あたりを見まわした。微笑が彼の顔にあふれた。長い夢からの目ざめの深い感じが彼の全身に、足のつまさきにまでみなぎった。すぐまた彼は足をはやめた。何をなすべきかを知っている人のように走り出した。

「おお」と彼は深く呼吸して息をつきながら考えた。「今はもう自分はシッダールタを取り逃がしはしないぞ！　もはや思索や生活を真我や世界の苦悩で始めるようなことはしないぞ。砕かれたかけらの背後に秘密を見いだすために、自分を殺したり、切り刻んだりはしないぞ。ヨーガ・ヴェーダ*（瑜伽吠陀）にも、アタルヴァ・ヴェーダ*（阿達婆吠陀）にも、苦行者にも、何らかの教えにも、教えを受けはしないぞ。自分は自分自身について学ぼう。自分自身の弟子となろう。自分を、シッダールタという秘密をよく知ろう」

彼は初めて世界を見るかのように、あたりを見まわした。世界は美しかった！　世界は多彩だった！　世界は珍しくなぞに満ちていた！　ここには青が、黄が、緑があった。空と川が流れ、森と山々がじっとしていた。すべては美しくなぞに満ち、魔術的だった。そのただ中で、彼シッダールタ、目ざめたものは、自分自身への道を進んでいた。このすべてが、この黄と青が、川と森が初めて目を通ってシッダールタの中に入った。それは、もはやマーラ*（魔羅）の魔法ではなかった。マーヤ（迷い）の薄ぎぬではなかった。多様をさげすみ、統一を求めて深く思索するバラモンのけいべつする、現象界の無意味な偶然な多様ではなかった。青は青であった。川は川であった。シッダールタの中の青と川には、神性を有する一つのものがひそんで生きていたとはいえ、ここは黄であり、青であり、かしこは空であり、森であり、これはシッダールタであるということこそ、神性を有するもののありようであり、意味であった。意味と本質はどこか物の背後にあるのではなく、その中に、いっさいのものの中にあった。

「なんと自分は耳が遠く、愚鈍だったことだろう！」と急ぎ足で歩いて行く男は言った。「本を読んで、その意味をさぐろうと欲するとき、人は記号や文字をけいべつせず、それをまやかし、偶然、無価値な殻とは呼ばず、一字一字それを読み、研究し、愛する。ところが、世界の本を、自分自身の本質の本を読もうと欲した自分は、あらかじめ予想した意味のために、記号と文字をけいべつしてきた。現象の世界をまやかしと呼んだ。自分の目と舌を偶然な無価値な現象と呼んだ。いや、それも過去となった。自分は目ざめた。自分はほんとに目ざめた。きょう初めて生れた」

シッダールタはこう考えながら、また立ちどまった。突然、まるでヘビが目の前に路上に横たわってでもいたかのように。

なぜなら次のことも突然彼に明らかになったからであった。つまり、ほんとに目ざめたもの、あるいは新しく生れたものとして、生活を新しく完全に初めから始めなければならなかったのだ。その朝、祇園《ぎおん》の林園を、世尊《せそん》の林園を去って、すでに目ざめつつ、自分自身への道をたどり始めたとき、禁欲苦行の歳月を経た今、故郷へ、父のもとへ帰ることが、彼の意図であった。それが彼には自然で当然のことと思えた。今しかし、ヘビが路上に横たわってでもいるかのように立ちどまったこの瞬間に初めて、次のような悟りにも目ざめた。「自分はほんとにもはや過去の自分ではない。自分はもはや苦行者ではない。僧ではない。バラモンではない。自分はいったい家で、父のもとで何をなすべきか。学問をすべきか。いけにえをささげるべきか。冥想《めいそう》にいそしむべきか。それらすべては過去のものとなった。それらすべてはもはや自分の途上にはない」

じっとシッダールタは立ちどまっていた。一瞬間、一呼吸の間、彼の心臓は凍った。どんなに自分がひとりであるかに気づいたとき、胸の内部で心臓が小動物のように、小鳥のように、ウサギのように凍えるのを、彼は感じた。幾年も彼は故郷を持たなかったが、それを感じなかった。今それを感じた。いつも変らず、最も深い冥想にふけっているときでも、彼は父の子であった。バラモンであった。身分の高い、精神の人であった。今は彼はただシッダールタであり、目ざめたものであり、そのほかの何ものでもなかった。深く彼は息を吸いこんだ。一瞬、彼は凍えて、身ぶるいした。彼ほど孤独なものはなかった。貴族仲間に属さない貴族、職人仲間に属さない職人、それぞれの仲間に逃げ場を見いださず、仲間の生活を共にしない、仲間のことばを語ることをしない、貴族や職人はいなかった。バラモンの仲間に数えられず、仲間と生活を共にしないようなバラモンはいなかった。沙門の階級に逃げ場を見いださないような苦行者はいなかった。森の中の最も寄るべのない隠者でも、ひとりぼっちではなかった。彼も仲間に取り囲まれていた。彼も階級に属し、それが彼の故郷になっていた。ゴーヴィンダは僧となった。幾千の僧が彼の兄弟であり、同じ衣をまとい、同じ信仰を信じ、同じことばを話した。彼シッダールタはしかしどこに属していたか。だれと生活を共にするだろうか。だれのことばを語るだろうか。

周囲の世界が彼から溶け去り、彼ひとり空の星のように孤立したこの瞬間、冷たく気落ちしたこの瞬間から、シッダールタは浮びあがった。前より以上に自我となり、堅く凝りかたまった。これが目ざめの最後の身ぶるい、出生の最後のけいれんだ、と彼は感じた。すぐに彼はまた足を踏み出した。足ばやに、せっかちに歩き出した。もはや家の方にではなく、父のもとにではなく、帰るのではなく。

第二部

日本にいるいとこ
W・グンデルトにささげる

カマーラ

シッダールタは歩み行く一歩ごとに新しいことを学んだ。世界が変り、彼の心が魅せられていたからである。太陽が森の山々の上にのぼり、はるかなシュロの浜べに沈むのを見た。夜空に星が整然と並んでいるのを、利鎌《とがま》のような月が青い水の中の小ぶねのように浮んでいるのを見た。彼は、樹木を、星を、動物を、雲を、にじを、岩を、雑草を、花を、小川を、川を、朝の草むらにきらめく露を、青く薄青く連なるはるかな高い山を見た。小鳥は歌い、ミツバチはうなった。風は田のおもてを銀色に吹いた。そのすべてが、多様多彩で、常に存在していた。常に太陽と月が照っていた。常に川はざわめき、ミツバチはうなっていた。しかし昔はそのすべてがシッダールタにとって目の前にかかった無常なまやかしの薄ぎぬにすぎなかった。そして不信の目で見られ、思想で満たされ、それ自体は思想によって無に帰せられる定めであった。それは本質ではなく、本質は目に見えるもののかなたにあったからである。だが今は、解放された彼の目は、こちらがわにとどまり、目に見えるものを見、認識し、この世界に故郷を求めた。本質を求めず、彼岸を目ざさなかった。世界をそのままに、求めるところなく、単純に、幼児のように観察すると、世界は美しかった。月と星は美しかった。小川と岸は、森と岩は、ヤギとコガネ虫は、花とチョウは美しかった。そういうふうに幼児のように、そのように目ざめて、そのように近いものに心を開いて、そのように疑心なく世界を歩くのは、美しく愛らしかった。頭に照りつける太陽の燃え方はこれまでと異なっていた。森の陰の涼しさは異なっていた。小川や天水おけの水は、カボチャとバナナは異なった味がした。

日は短かった。夜は短かった。一刻一刻が海上の帆のように速く飛び去った。帆の下には、宝と喜びに満ちた船があった。シッダールタは、サルの群れが高い森の丸天井の中を、高く枝を伝わって移動して行くのを見た。そして情欲に燃えた激しい歌を聞いた。シッダールタは、雄羊が雌羊を追って交尾するのを見た。アシのおい茂る湖でカワカマスが夕方の飢えにかられて獲物を追うのを見た。追われた若い魚は群れをなしてはためきながらきらめきながら水中からはねあがった。凶暴に追いまくるカワカマスが巻き起すあわただしいうずの中から、力と情熱が鋭くにおった。こういうものはみな常にあったのだ。しかも彼はそれを見なかった。彼はそれにあずからなかった。今は彼はそれにあずかった。彼はそれに所属していた。彼の目に光と影が流れこんだ。彼の心臓に星と月が流れこんだ。

シッダールタは道々、祇園《ぎおん》の庭で体験したいっさいのことを、そこで聞いた教えを、神々《こうごう》しい仏陀《ぶっだ》を、ゴーヴィンダからの別れを、覚者《かくしゃ》との対話を思い出した。覚者に向って言った自分自身のことばを、一言一言をまた思い出した。あのときはまだ全くほんとうに知っていなかったいろいろなことを言ったのを悟って驚いた。彼がゴータマに言ったこと、すなわち、彼仏陀の宝と秘密は、その教えではなくて、かつて大悟成道《だいごじょうどう》のとき体験したところの、名状しがたいこと、教えがたいことであった。――それこそまさに彼が今体験せんがために発足したところのもの、体験し始めたところのものであった。彼は今自分自身を体験しなければならなかった。なるほど彼はもう久しく、自分自身が真我であること、梵《ぼん》と同じ永遠なものであることを知っていた。しかし、思想の網で自分自身をとらえようと欲したがゆえに、ついぞほんとにそれを見いださなかった。たしかに肉体は自分自身ではなかった。感覚の戯《たわむ》れはそうではなかった。そのように思索も、知性も、習得した知恵も、結論を引き出し、すでに考えたことから新しい思想を紡《つむ》ぎ出す習得した技術も、自分自身ではなかった。いや、この思想の世界もやはりこちらがわにあった。感覚の偶然な自我を殺して、そのかわりに思想と博識の偶然な自我を肥やしてみても、目標には到達しなかった。思想も感覚も両者ともに美しいものであった。両者の背後に究極の意味が存在していた。両者ともに聞くに値し、両者ともにもてあそぶに値し、両者ともにけいべつすべきでも過大評価すべきでもなかった。両者から最も奥深いものの秘密の声が聞きとれた。その声が追求せよと命ずるものよりほかのものを追求することを、彼は欲しなかった。その声がそこにとどまれと勧めるところよりほかにはとどまることを欲しなかった。なぜゴータマはかつて時間の中の時間とも言うべきとき、大悟の光に触れたとき、菩提樹《ぼだいじゅ》の下にすわっていたのか。彼は一つの声を、自身の心の中の声を聞いたのだった。その声が彼に、この木の下で休息を求めよ、と命じたのだ。彼は禁欲を、いけにえを、水浴あるいは祈りを選ばず、飲食も、睡眠も夢も選ばず、ただその声に耳をすました。そのように、外部の命令にではなく、ひたすらその声に従うこと、その用意のあること、それこそ善いことであった。それこそぜひなさねばならぬことであった。ぜひなさねばならぬことはそれ以外にはなかった。

川べの渡し守のわら屋に眠った夜、シッダールタは夢を見た。ゴーヴィンダが黄色い苦行者の衣を着て彼の前に立っていた。ゴーヴィンダは悲しそうだった。悲しそうに彼は、なぜ君はぼくを捨てたのか、とたずねた。そこで彼はゴーヴィンダを抱いた。両腕を友のからだにからませた。友を胸に引き寄せて口づけすると、それはもうゴーヴィンダではなくて、女だった。女の着物の中から丸い乳房がふくれあがった。シッダールタは乳房に寄りそって飲んだ。この乳房の乳は甘く強い味がした。女と男、太陽と森、動物と花、あらゆる果実、あらゆる快楽の味がした。その乳は酔わせ、意識を失わせた。――シッダールタが目をさますと、青白い川が小屋の戸口からちらちらとさしこんだ。森の中ではどっしりしたフクロウの叫びが深く調子よくひびいた。

夜が明けると、シッダールタは宿を貸してくれた渡し守に、川の向うへ渡してほしいと頼んだ。渡し守は彼を竹のいかだで川の向うへ渡した。朝の光の中で幅の広い川水が赤味をおびてちらちら光っていた。

「美しい川だ」と彼は自分を渡してくれる人に言った。

「たしかに」と渡し守は言った。「ほんとに美しい川だ。私は何よりもこの川を愛している。私はたびたびこの川に耳をすまし、その目をのぞきこんだ。絶えず私はこの川から学んできた。川からはいろいろなことを学ぶことができた」

「ありがとう、私の恩人よ」とシッダールタは、対岸にあがると、言った。「私はおん身に贈るべき物も、払うべき賃銀も持たない。私は故郷を持たぬもの、バラモンの子、沙門《しゃもん》だから」

「それはよくわかっていた」と渡し守は言った。「私はおん身から賃銀や贈り物をもらおうとは思っていなかった。いつか贈り物をしてくれることがあろう」

「そう思うかい？」とシッダールタは愉快そうに言った。「たしかに。万物はふたたび来る！　ということも、私は川から学んだ。沙門よ、おん身もふたたび来るであろう。では、ごきげんよう！　おん身の友情が私の受ける報酬であるように。おん身が神々にいけにえをささげるとき、私のことをしのんでくれるように」

微笑しつつふたりは別れた。微笑しつつシッダールタは渡し守の友情と親切を喜んだ。「彼はゴーヴィンダのようだ」と微笑しながら考えた。「自分が途上で会う人間はみなゴーヴィンダのようだ。彼らみずから感謝される権利があるのに、感謝の念を抱いている。みんなへりくだり、みんな喜んで友となり、喜んで服従し、あまり考えようとしない。人間は幼児だ」

昼ごろ彼はある村を通った。粘土の小屋の前の小路《こうじ》で子どもらがころがり、カボチャの種や貝殻《かいがら》をもてあそび、わめき、取っ組み合っていたが、見なれぬ沙門が来ると、恐れをなして逃げた。村のはずれで、道は小川を渡った。小川のふちで若い女がひざまずいて、着物を洗っていた。シッダールタが彼女にあいさつすると、女は頭をあげ、微笑をたたえて彼を見あげた。その白目がきらっと光るのを、彼は見た。彼は、旅びとの間で慣習になっている祝福のことばを呼びかけ、大きな町までまだ道のりはどのくらいあるか、とたずねた。すると、女は立ちあがって彼の方に歩み寄った。若い顔の中でぬれた口が美しく光った。彼女は彼と冗談を交わし、もう食事はすませたのか、沙門は夜ひとりで森の中で眠り、女を近づけてはならないというのはほんとか、とたずねた。そう言いながら彼女は左足を彼の右足にのせ、愛の手引き書で「木登り」と呼ばれている種類の、愛の享楽《きょうらく》に男をうながすときに女のする仕草をした。シッダールタは血が熱くなるのを感じた。そのとき、例の夢が思い浮んだので、彼は少し女の方にかがみ、乳房のトビ色の先端にくちびるをあてた。見あげると、女の顔は欲情にあふれて微笑し、細められた目はあこがれに懇願していた。

シッダールタもあこがれを感じ、性の泉が動くのを感じた。しかし彼はまだ女に触れたことがなかったので、両手はもう女をつかまえようとしながらも、一瞬ためらった。その瞬間彼はぞっとしながら、内心の声を聞いた。その声は、否《いな》と言った。すると、若い女の微笑する顔からあらゆる魅力が消えた。目に映るのは、さかりのついた動物の雌のぬれたまなざしだけだった。彼はやさしく女のほおをさすってから、うしろを向き、失望した女をあとに、軽い足どりで竹林の中に姿を消した。

この日、晩にならないうちに彼は大きな町に着いた。人恋しくなっていたので、彼はうれしかった。長いあいだ彼は森の中で暮してきた。昨夜眠った渡し守のわら屋は、ずいぶん久しぶりで頭上にいただいた最初の屋根だった。

町の手前、かきをめぐらした美しい林園のそばで、旅びとは、ざるをたずさえた男女の召使の小さな一群に会った。四人でかついでいる装飾されたかごの中には、はなやかな日おいの下の赤いしとねに、ひとりの女がこしかけていた。女主人だった。シッダールタは遊園の森の入口にたたずみ、行列をながめ、男女の召使たちを、入れ物のかごを、乗り物のかごを、かごの中の婦人を見た。高く結いあげた黒髪の下にきわだって明るいやさしい賢い顔が、もぎたてのイチジクのようにあざやかに赤い口が、高くそった弓張り月のように描かれた手入れされたまゆが、賢く注意深い黒っぽい目が、緑色と金色の上着から抜け出ている白い高い首が、手首に幅の広い金の輪をはめた長い細い両手がしとやかにひざにのっているのが見えた。

彼女がどんなに美しいかを見て、シッダールタの心は笑った。かごが近づいて来ると、彼は低く頭をさげた。そしてからだを起すと、明るいやさしい顔を見つめ、一瞬、高く半月形になっている賢い目の中を読み、彼のまだ知らぬ芳香の息吹《いぶ》きを呼吸した。微笑をたたえて美しい女はうなずいた。一瞬のことで、彼女は林園の中に姿を消した。続いて召使たちも。

これでさいさきよく町に入るのだ、とシッダールタは考えた。すぐに林園に入るように引きつけられたが、彼は熟慮した。今初めて彼は、入口で男女の召使たちがどんなにけいべつ的に、うさんくさそうに、追い払うように自分をじろじろ見たかを意識した。

自分はまだ沙門だ、依然として苦行者、物乞いだ、と彼は考えた。いつまでもこんなふうをしていてはならない、これでは林園に入れない。そう思って彼は笑った。それから最初に道を歩いて来た人に、彼はその林園とこの女の名をたずねた。そして、有名な遊女カマーラの森であること、また彼女は林園のほかに市内に家を持っていることを知った。

それから彼は町に入った。今は一つの目的を持っていた。

その目的を追いながら、彼は町に吸いこまれ、小路の流れにもまれ、広場に立ちどまり、川べの石段で休息した。夕方、丸屋根のかげで理髪師の助手が働いているのを見て、それと友だちになった。それからその男がヴィシュヌ*（毘紐拏）の神殿で祈っているのを見て、シッダールタはヴィシュヌとラクシミ（吉祥天、ヴィシュヌの妃）の話をして聞かせた。川べの小ぶねでその夜は眠り、翌朝早く、最初の客が店に来ないうちに、理髪師の助手にひげをそらせ、髪を刈らせ、髪にくしを入れさせ、上等な油を塗らせた。それから、川に水浴しに行った。

午後おそく美しいカマーラがかごで林園にさしかかると、シッダールタは入口に立っていて、お辞儀をし、遊女のあいさつを受けた。行列の最後に歩いている召使に彼は目くばせして、若いバラモンが女主人と話したがっている旨《むね》を伝えるように頼んだ。しばらくすると召使はもどって来て、待っているバラモンを促して、自分について来るように言い、自分について来るバラモンを無言で案内し、カマーラが寝いすに横たわっていたあずまやに連れて行き、彼を女主人とふたりきりにして去った。

「あなたはきのうもあそこに立って、私に会釈《えしやく》しはしませんでしたか」とカマーラはたずねた。

「いかにも私はきのうもあなたを見、会釈しました」

「でも、きのうはひげをはやし、髪を長くのばし、ほこりをかぶってはいはしませんでしたか」

「よく観察なさいました。あなたは何もかもごらんになりました。あなたはシッダールタを、沙門になるために故郷を去り、三年間沙門だったバラモンの子をごらんになりました。今はしかし彼はその道を去り、この町にやって来ました。町に入る前に出会った最初の人があなたでした。それを言うために、私はあなたのところにやって来ました、おおカマーラよ！　あなたは、シッダールタが目を伏せずに話しかけた最初の女性です。私はもはや、美しい女性に会っても、目を伏せません」

カマーラは微笑し、クジャクの羽毛で作った扇をもてあそんでいた。そしてたずねた。

「ただそれをおっしゃるためだけに、シッダールタは私のところに来たのですか」

「それをあなたに言い、あなたがそんなに美しいことに感謝するために、です。おいやでなかったら、私の友だちに、先生になってくださるよう、お願いしたいんです。あなたはその道の達人ですが、そのわざについて私はまだ何も知らないからです」

するとカマーラはからからと笑った。

「森の沙門が私のところに来て、私から何かを習おうとしたことなんか、まだ一度もありません！　髪を長くのばし、ぼろぼろな古い腰巻きをした沙門が私のところに来たことなんか、まだ一度もありません！　若い人がたくさん私のところにやって来ます。バラモンの子もその中にいます。しかし、美しい着物を着、上等なくつをはき、髪には香水をつけ、財布にはお金を入れてやって来ます。ねえ、私のところに来る若い人たちは、そういうふうなんですよ」

シッダールタは言った。「早くも私はあなたから学び始めました。きのうももう私は学びました。もう私はひげを落し、髪にくしを入れ、油を塗りました。まだ私に欠けているものは、わずかです、非凡な人よ。上等な服、上等なくつ、財布のお金ぐらいです。お聞きください。シッダールタはそんな小さいことよりもっとむずかしいことを決意しました。そしてなしとげました。私がきのう決意したこと、つまり、あなたの友だちになり、愛の喜びをあなたから学ぶということを、なしとげないわけがどうしてありましょう！　私がおぼえのよいことを、あなたは知るでしょう、カマーラよ、あなたが私に教えるはずのことよりもっとむずかしいことを、私は学びました。では、このままのシッダールタでは十分でないのですね？　髪に油をつけているが、着物も、くつも、お金もないのでは？」

笑いながらカマーラは大声で言った。「そうですとも、あなた。まだ十分でありません。着物を、きれいな着物を持たねばなりません。くつを、きれいなくつを、財布の中にたくさんのお金を、カマーラのための贈り物を持たねばなりません。わかりましたか、森の中の沙門さん？　よく心にとめましたか」

「よく心にとめました」とシッダールタは叫んだ。「そのような口から出て来ることを、どうして心にとめないでよいでしょう！　あなたの口は、もぎたてのイチジクのようです、カマーラよ。私の口も赤く、みずみずしく、あなたの口によく合うでしょう。今にきっとわかります。――だが、美しいカマーラよ、言ってください。愛を学ぶためにやって来た森の沙門を、あなたは少しも恐ろしいと思いませんか」

「私がどうして沙門を恐れることがあるでしょう？　ヤマイヌのところからやって来た森の愚かな沙門を？　女が何であるかまだ全く知らない愚かな沙門を？」

「ああ、彼は、沙門は強いのです。彼は何ものをも恐れません。彼は、美しい娘よ、あなたを手ごめにすることだってできます。あなたを奪い取ることだってできます。

あなたを痛い目にあわせることだってできます」

「いいえ、沙門さん、そんなことを私は恐れはしません。いやしくも沙門かバラモンで、だれかがやって来て、自分を引っつかまえ、学問や信仰や深い知恵を奪っていくかもしれないなどと、恐れた人があるでしょうか。そういうものはその人の身についているのであって、その人が与えようと思うものだけを、与えようと思う人にだけ与えるのですから。カマーラも、愛の喜びも、そうなのです。全くそうなのです。カマーラの口は美しく赤いけれど、カマーラの意志にさからって口づけしようとしてごらんなさい。それこそ一滴の甘さだって味わえませんよ。ほんとにたくさんの甘さを与えることのできる口ですけれど！　あなたは飲みこみのいい方ですから、シッダールタよ、こういうこともおぼえていらっしゃい。愛は、哀願して得ることも、お金で買うことも、贈り物としてもらうことも、小路で見つけることもできるでしょうけれど、奪い取ることはできません。その点ではあなたの思いついた方法はまちがっています。いいえ、あなたのように美しい若い方がそんなまちがった手段を取ろうとなさろうとしたら、残念です」

シッダールタは微笑しながらお辞儀をした。「たしかに残念なことです、カマーラよ、全くあなたのおっしゃるとおりです！　非常に残念です。いいえ、あなたの口からの一滴の甘さも、私にとってむなしく消えてはなりません、私の口からも、あなたにとってむなしく消えてはなりません！　では、こういうことにします。シッダールタは、まだ持っていないもの、つまり、着物やくつや金を手に入れたら、またやって来ます。だが、愛らしいカマーラよ、もひとつささやかな助言を与えてはくれませんか」

「助言ですって？　どうしてそれを惜しむわけがありましょう？　森のヤマイヌの間からやって来た、貧しい無知な沙門に、だれが助言を惜しむでしょう？」

「いとしいカマーラよ、では、助言を与えてください。あの三つのものをいちばん早く見つけるには、どこへ行ったらよいか」

「友よ、それはみんなが知りたがっていることです。あなたが習い覚えたことをなさるべきです。それでお金と着物とくつをもらいなさい。貧乏人がお金を得る道はほかにはありません。いったい何ができますの？」

「私は考えることができます。待つことができます。断食《だんじき》することができます」

「そのほかには何もできませんの？」

「何も。いや、詩を作ることもできます。詩の報酬として口づけしてくれますか」

「あなたの詩が気に入ったら、そうします。いったいどういう詩ですの？」

シッダールタはちょっと考えてから、次の詩句を口にした。

美しいカマーラは影深い林に入った。
林の入口には日やけした沙門が立っていた。
沙門は、ハス（カマーラ）の花を目にとめて、深く
身をかがめた。カマーラは微笑して礼を返した。
神々にいけにえをささげるより、
美しいカマーラにいけにえをささげるのは、
ひとしお好ましい、と若者は考えた。

カマーラは高らかに音を立てて手を打ったので、金の腕輪が鳴りひびいた。

「あなたの詩は美しいこと、日やけした沙門よ。ほんとに、その報いとして口づけしてあげても、損はないわ」

彼女は目で彼を引き寄せた。彼は彼女の顔の上に顔をかがめ、もぎたてのイチジクのような口に彼の口をのせた。カマーラは彼に長いあいだ口づけした。シッダールタは深い驚きをもって感じた。どんなに彼女が自分を教えるかを、どんなに彼女が賢いかを、どんなに彼女が自分を支配し、しりぞけ、誘うかを、また、この最初の口づけのあとに、どんなに長いひとつながりの円熟した口づけが、一つ一つ異なりながら順序よくならんで自分を待っているかを。深い息をしながら彼はじっと立っていた。その一瞬、知識と学ぶに値するものの宝庫が自分の目の前にひらかれるのに、子どものように驚いた。

「あなたの詩はほんとに美しい」とカマーラは叫んだ。「私がお金持ちだったら、金貨をあげるところだけれど、必要なだけのお金を詩で手に入れることは、むずかしいでしょう。カマーラの友だちになりたいと思ったら、たくさんのお金がいるんですから」

「あなたはなんと口づけのじょうずなことでしょう、カマーラよ！」とシッダールタは口ごもった。

「そうよ、私にはそれができるのよ。だから、着物やくつや腕輪や美しいすべてのものにこと欠かないのよ。でも、あなたはどうなるの？　考えたり、断食したり、詩を作ったりすることよりほか何もできないの？」

「いけにえの歌もできます」とシッダールタは言った。「でも、それはもう歌いません。呪文《じゅもん》もできますが、それももうとなえません。私は文書を読みました――」

「ちょっと」とカマーラは彼をさえぎった。「あなたは読み書きができますの？」

「たしかにできます。そのぐらいのことのできる人はいくらもいます」

「大多数の人にはそれができません。私にもできません。あなたに読み書きができるのは、たいへん結構です。何よりです。呪文だって役に立つでしょう」

そのとき、召使がかけよって、女主人の耳に知らせをささやいた。

「お客が来たの」とカマーラは大きな声で言った。「急いで隠れてください、シッダールタ、あなたがここにいるところをだれにも見られてはなりません。それを忘れないで！　あすまたお会いします」

彼女は女中に、白い上着をこの信心深いバラモンに与えるよう、言いつけた。何が何だかわからぬままに、シッダールタは女中に引き立てられ、まわり道をして別のあずまやに連れこまれ、上着を与えられ、木立ちの中にみちびかれ、人目につかないようにすぐに林園から姿を消すよう、やかましく注意された。

彼は満足して、言いつけられたとおりにした。森には慣れていたので、音も立てず、生けがきを越え、林園の外に出た。丸めた着物を小わきにかかえ、満足して町にもどった。旅びとの泊る宿屋の入口に立って、無言で食をこい求め、無言で一片のもちを受け取った。たぶんあすはもうだれにも食を求めはしないだろう、と彼は考えた。

突然彼の心中に自負の念が燃えあがった。彼はもはや沙門ではなかった。物乞いすることはもはや彼にふさわしくなかった。彼はもちを犬に与えて、食べ物なしですごした。

「この世で人々の営んでいる生活は単純なものだ」とシッダールタは考えた。「何のむずかしいこともない。自分がまだ沙門だったころは、すべては困難で、骨が折れ、結局は希望がなかった。今は何もかもが、カマーラが自分に与えてくれる口づけの授業のように容易だ。入用なのは着物と金だけで、ほかには何もいらない。それは小さな手近な目標で、眠りを妨げなんかしない」

いち早く彼はカマーラの町の家をたずねあてていた。翌日彼はそこに現われた。

「うまいぐあいよ」と彼女は彼に向って呼びかけた。「カーマスワーミがあなたを待っているわ。この町でいちばんの金持ちよ。あなたが気に入れば、あの人がやとってくれるでしょう。抜けめなくおやりなさい、日にやけた沙門さん。ほかの人を通してあなたのことを話させました。あの方にあいそよくなさい。たいへんな勢力家よ。でも、あまりへりくだりすぎてもいけないのよ！　あなたがあの人の使用人になることを、私は望まないわ。対等でなくてはだめよ。でないと、私はあなたに満足できないわ。カーマスワーミは年をとって無精になり出しています。あの人は、気に入れば、あなたにいろいろなことをまかせるでしょう」

シッダールタは彼女に感謝し、笑った。彼がきのうもきょうも何も食べていないことを聞くと、彼女はパンとくだものを持って来させ、彼にふるまった。

「あなたは幸運をつかんだわ」と彼女は別れるとき、言った。「戸がつぎつぎとあなたのために開かれるわ。いったいどうしてでしょう。あなたは魔力を持っているの？」

シッダールタは言った。「きのう私は、考えること、待つこと、断食することができる、とあなたに言いましたが、そんなことは何の役にも立たない、とあなたは思いました。だが、それがなかなか役に立ちます、カマーラよ、だんだんあなたにもわかってくるでしょう。森の愚かな沙門は、あなた方のできないいろいろなすばらしいことを覚え、実行できることがわかるでしょう。おととい私はまだひげぼうぼうの物乞いでした。きのうはもうカマーラに口づけしました。まもなく私は商人となり、お金を、あなたが重んじるすべてのものを、手に入れるでしょう」

「そうでしょう」と彼女は認めた。「でも、私がいなかったら、あなたはどうでしょう？　カマーラがあなたを助けなかったら、あなたはどうなったでしょう？」

「いとしいカマーラよ」とシッダールタは言い、ぐっとからだを起した。「私はあなたの林園に入って来たとき、第一歩を踏み出したのです。いちばん美しいこの女性のもとで愛を学ぶのが、私の計画でした。この計画をいだいた瞬間から、自分はそれを遂行するだろうということも、承知していました。あなたが私を助けてくれるだろうということも、承知していました。林園の入口であなたをひと目見たとき、それがもうわかりました」

「でも、もし私がその気にならなかったら？」

「あなたはその気になりました。ねえ、カマーラ、あなたが石を水中に投げると、石はいちばん早い道を進んで水底に急ぎます。シッダールタが目標を、計画を持つと、そのとおりになります。シッダールタは何もしません。彼は待ち、考え、断食します。しかし、彼は、石が水を通っていくように、何もせず、からだひとつ動かさず、世の中の事物を突き抜けて行きます。彼は引かれるのです。落ちるにまかせるのです。目標が彼を引きつけるのです。目標に逆らうようなことは何ひとつ心の中に入りこませないからです。それこそ、シッダールタが沙門たちの間で学んだことです。愚人らが魔法と呼ぶもの、魔精のしわざと考えるものです。何も魔精のしわざなどではありません。魔精など存在しはしません。だれだって魔術を使うことができます。だれだって目標を達成することができます。考えることができ、待つことができ、断食することができれば」

カマーラは彼の言うことに耳を傾けた。彼女は彼の声と、彼のまなざしを愛した。

「たぶんあなたのおっしゃるとおりなのでしょう、友よ」と彼女は小声で言った。「しかし、シッダールタが美しいひとで、そのまなざしが女の気に入るからこそ、幸運が彼を迎えるのかもしれませんよ」

口づけをしてシッダールタは別れを告げた。「そうあってほしいものです、私の師よ。私のまなざしがいつもあなたの気に入り、いつもあなたから来る幸福が私を迎えてくれるように」

小児人《しょうにじん》たちのもとで

シッダールタは商人カーマスワーミのところへ行った。ぜいたくな家を示された。召使たちが高価な壁かけのあいだを導いて彼を一室に通した。そこで彼は主人を待った。

カーマスワーミが入って来た。すばしこい、如才ない男で、かなり白髪《しらが》が多く、目は非常に抜けめなく、用心深く、欲望の強い口もとをしていた。主人と客は打ちとけてあいさつをかわした。

「聞くところでは」と主人は切り出した。「あなたはバラモンで、学者であるのに、商人のもとに勤めを求めているとか。勤めを求めるのは、困っているのですか」

「いいえ」とシッダールタは言った。「私は困ってはおりません。困ったことはついぞありません。私は沙門のもとで長いあいだ暮し、そこからやって来たのですよ」

「沙門のところから来たのでしたら、困っていないわけはないでしょう。沙門は完全に無一物じゃありませんか」

「私は無一物です」とシッダールタは言った。「あなたの考えていらっしゃるのが、そのことならたしかに私は無一物です。しかし私は自由意志で無一物なのですから、困っていはしません」

「しかし、無一物だとしたら、何によって生きていくつもりですか」

「私はまだそんなことを考えたことがありません。私は三年以上無一物でしたが、何によって生きていくべきかを考えたことは一度もありません」

「じゃ、あなたは他人の所有物によって生きてきたのです」

「おそらくそうでしょう。商人も他人の持ち物によって生きているのです」

「おっしゃるとおりです。しかし商人は他人からその持ち物をただで取りはしません。その代償に商品を提供します」

「実際そういう関係にあるようです。めいめいが受け取り、めいめいが与える。人生はそうしたものです」

「だが、失礼ながら、あなたは無一物だとしたら、何を与えようとなさるのです？」

「めいめい、自分の持っているものを与えるのです。軍人は力を与え、商人は商品を与え、教師は教えを、農民は米を、漁師は魚を与えます」

「いかにもそのとおり。それであなたが与えるべきものは何ですか。あなたが学んだこと、なしうることは何ですか」

「私は考えることができます。待つことができます。断食することができます」

「それだけですか」

「それだけだと思います！」

「それが何の役に立ちますか。たとえば断食することが――それが何の役に立ちますか」

「大いに役に立ちます。食う物がないときは、断食が人間のなしうる最も賢明なことです。たとえばシッダールタは、断食することを学ばなかったとしたら、きょうのうちにも何かの勤めにつかねばならないでしょう。あなたのところにせよ、どこにせよ。空腹がそれを余儀なくさせるでしょう。しかし、シッダールタは静かに待つことができます。彼は焦燥を知りません。困ることを知りません。長いあいだ飢えに包囲されても、それに対して笑っていることができます。断食はそういう役に立ちます」

「おっしゃるとおりです、沙門よ。ちょっとお待ちなさい」

カーマスワーミは外に出て行き、巻き物を持ってもどって来、「これが読めますか」とたずねながら、客に渡した。

シッダールタは、売買の契約の記されている巻き物を見つめ、その内容を朗読し始めた。

「すばらしい」とカーマスワーミは言った。「この紙に何か書いてくれますか」

彼は客に紙と筆を渡した。シッダールタは書いて、紙を返した。

カーマスワーミは読んだ。「書くことは良い。考えることはなお良い。賢明さは良い。忍耐はなお良い」

「あなたはたいそうよく書くことを心得ていられる」と商人はほめた。「なおいろいろと相談することがあるでしょう。きょうのところは、どうか私の客となって、この家に泊ってください」

シッダールタはお礼を言い、それを受け入れ、商人の家に住んだ。着物やくつが持って来られた。召使が毎日入浴の用意をしてくれた。一日に二度ぜいたくな食事が運ばれたが、シッダールタは一日に一度しか食事をせず、肉を食わず、酒も飲まなかった。カーマスワーミは取引きのことを彼に話し、品物や倉庫や勘定を示した。シッダールタは新しいことをたくさん知った。彼は多く聞き、少し話した。そしてカマーラのことばを念頭において、彼は決して商人の下風《かふう》に立たず、商人が自分を対等なものとして、いや、対等なものより以上のものとして遇するように、いやおうなしにしむけた。カーマスワーミは細心に、しばしば情熱をもって商売を営んだが、シッダールタはそのすべてを遊戯のように見ていた。その遊戯の規則を彼は詳しく知ろうと努めはしたが、その内容には心を動かされなかった。

カーマスワーミの家に入ってからいくらもたたないうちに、彼はもう主人の取引きに参画した。しかし毎日、指定された時刻に、彼はきれいな服を着、上等なくつをはいて、美しいカマーラを訪れた。やがて贈り物を持って行くようになった。彼女の赤い賢い口が彼に多くのことを教えた。彼女の柔らかいしなやかな手が彼に多くのことを教えた。愛にかけてはまだ子どもで、盲目的に飽くことを知らず、底なしの沼にでも飛びこむように快楽に飛びこむ傾きのある彼に、彼女は根本から教えた。快感を与えずには、快感を受けることはできないこと、どんな身振りにも、愛撫《あいぶ》にも、接触にも、まなざしにも、からだのどんなに小さい個所にも、それぞれ秘密があり、それを呼びさますのが、心得のあるものに幸福を与えるのだということ、そういう教えであった。愛するもの同士は、恋のうたげの後、必ず互いに賛嘆し合って別れなければならない、相手に打ち勝つと同様に打ち負かされたのでなければならない、また、双方のどちらにも、飽き飽きしたすさんだ気持ちや、酷使したとか酷使されたとかいう悪い感じが起きてはならない。そう彼女は彼に教えた。美しく賢い芸術家のもとで彼はすばらしい時をすごし、彼女の弟子となり、愛人となり、友だちとなった。彼の今の生活の価値と意義はカマーラのもとにあるのであって、カーマスワーミの商売にありはしなかった。

この商人は重要な手紙や契約の執筆を彼にまかせ、重要な用件はすべて彼と相談する習慣になった。シッダールタは米や綿や舟運や取引きのことはあまり心得ていないが、恵まれた手を持っており、落ちつきと平静にかけては、他人の言に耳をかし、他人の心を見抜くことにかけては、商人なる自分をしのいでいることを、カーマスワーミはまもなく見てとった。「このバラモンは」と彼は友人に向って言った。「ほんとの商人ではない。商人になることはないだろう。彼の心は商売に熱心になることにはない。しかし彼は、成功がおのずから訪れてくるような人間の秘密を持っている。それが生れつきの良い星であるにせよ、魔力であるにせよ、彼が沙門たちのもとで学んだ何かであるにせよ。いつも彼は商売と戯《たわむ》れているにすぎないようだ。商売に没頭し、支配されることは決してない。彼は決して失敗を恐れず、損失を気にとめない」

友人は商人に助言した。「彼が君のためにやっている営業について利益の三分の一を彼に与えたまえ。そして損失が生じたら、その三分の一も彼に負担させたまえ。そうしたら彼はいっそう熱心になるだろう」

カーマスワーミはその助言に従った。シッダールタはしかしそんなことをほとんど意に介しなかった。利益があれば、平気でそれを取り、損失があれば、笑って、「おや、こんどはまずかった！」と言った。

実際、商売は彼にはどうでもいいように見えた。あるとき、彼は大量の米の収穫を買い占めるために、ある村に旅行した。到着すると、米はもう他の商人に売られていた。それでもシッダールタは幾日もその村にとどまって、農民たちにごちそうし、子どもらに銅貨を与え、いっしょに婚礼を祝い、すっかり満足して旅行から帰った。彼がすぐ帰って来ず、時間と金を浪費したことを、カーマスワーミは非難した。シッダールタは答えた。「こごとを言うのをやめなさい、友よ！　こごとを言って何かが達成されたためしはない。損失が生じたら、私に負担させなさい。私はあの旅行に大いに満足している。私はいろいろな人と知合いになった。ひとりのバラモンは私の友だちになった。子どもたちは私のひざに乗って遊び、農民たちは田畑を私に見せた。だれも私を商人とは思わなかった」

「そういうことはどれもたいそう結構だ」とカーマスワーミはふきげんに叫んだ。「だが、実際、君はやはり商人なのだ、と言わざるを得ない！　それとも君は単に娯楽のため旅行したのかい？」

「たしかに」とシッダールタは笑った。「たしかに私は娯楽のため旅行した。ほかに何の目的があったろう？　私は人々と土地に親しんだ。親切と信頼とを受けた。友情を見いだした。もし私がカーマスワーミだったら、買入れが失敗したのを知ったとたんに、すぐかんかんに腹を立てて急いで帰っただろう。それで時間と金は実際むだになっただろう。だが、ああやって私は楽しい日をすごし、見聞をひろめ、喜びを味わい、腹を立てたり、早まったりして、自分と他人をきずつけずにすんだ。このあとの収穫を買うためにせよ、どんな目的であるにせよ、いつかまたあすこへ行くことがあったら、打ちとけた人たちが打ちとけて朗らかに私を迎えてくれるだろう。そして、あのときせっかちに腹を立てたところを見せなくてよかった、と思うだろう。だから、かまわずにおきなさい。こごとを言っていやな思いをしないようにしなさい！　このシッダールタは自分に害をもたらす、と思う日が来たら、ただひとこと言いなさい。シッダールタは自分の道を行くだろう。それまでは互いに不満を抱き合わないようにしよう」

シッダールタに、お前はカーマスワーミのパンを食べているのだぞ、ということを思い知らせようとする商人の試みもむなしかった。シッダールタは彼自身のパンを食べていた。というより、彼らふたりとも、ほかの人たちのパンを、みんなのパンを食べていた。シッダールタはカーマスワーミの心配にかす耳なぞ持たなかった。カーマスワーミはたくさんの心配ごとをこしらえていた。進行中の事業が失敗しそうなとき、輸送中の商品がなくなったらしいとき、債務者が支払い不能に陥ったらしいとき、カーマスワーミは、憂慮や憤《いきどお》りのことばを発したり、額にしわを寄せたり、よく眠れなかったりするのも、やむをえないということを、協力者に納得さすことができなかった。あるときカーマスワーミが、シッダールタの心得ていることはみな自分から学んだのだ、と言って非難すると、シッダールタは答えた。「そんな冗談を言ってひとをからかわないでほしい！　私があんたから習ったのは、一かごの魚がいくらするか、貸した金にどのくらい利子を要求することができるか、ということだ。それがあんたの学問だ。考えることを私はあんたに学びはしなかった、カーマスワーミよ、むしろ私から考えることを学ぼうと試みるがよい」

実際彼の心は取引きなどにはなかった。カマーラのための金を彼にもうけさせてくれるのに、商売はよかった。商売は彼の必要とするよりずっと多くをもうけさせた。それを除いては、シッダールタの関心と好奇心はひたすら人間にあった。その人間のやっている仕事や職業や心配や享楽《きょうらく》や愚行は、彼にとって昔は月世界のことのように縁のない遠いことであった。みんなと話し、みんなとともに暮し、みんなから学ぶことは、きわめて容易であったが、やはり自分を彼らから隔てる何かがあることを、彼は強く自覚していた。隔てるものはすなわち沙門道であった。人間が子どもじみた仕方で、あるいは動物じみた仕方で暮しているのを、彼は見た。そういう暮し方を彼は愛すると同時にけいべつした。彼らが骨を折り、苦しみ、白髪になるのを、彼は見た。しかも、シッダールタには全くそれに値しないと思われるようなことのため、つまり、金やささやかな楽しみやささやかな名誉のためであった。彼らが互いにののしり合い、侮辱し合うのを、彼は見た。沙門なら微笑してすますような苦痛のため彼らが悲しみ嘆くのを、沙門なら感じもしないような欠乏のため彼らが悩むのを、彼は見た。

これらの人間が彼にもたらしてくるいっさいのものに対し、彼は胸を開いた。彼は、麻を売りつけに来る商人を歓迎した。借金をしてさらに借入れを求める男を歓迎した。貧乏話を一時間もする物乞いを歓迎した。物乞いとはいっても、沙門の半分も貧しくはなかった。富裕な外国の商人を、彼は、自分のひげをそってくれる召使や、バナナを売るとき小ぜにをごまかす大道商人と同様に取り扱った。カーマスワーミが心配を訴えに来たり、商売のことで彼を非難しに来たりすると、彼は好奇心をもって朗らかに耳を傾け、いぶかしく思いながらも相手を理解しようと努め、やむをえぬと思われる範囲でいささか相手の言いぶんを認め、そこでわきを向いて、自分に用談のある次の人を相手にした。たくさんの人が彼のところにやって来た。たくさんの人が彼と取引きするために、彼を欺《あざむ》くために、彼を探るために、彼の同情を呼びさますために、彼の助言を聞くために。――彼は助言を与え、同情を寄せ、贈り物を与え、いくらかだまされてやった。彼の考えは、かつて神々や梵《ぼん》に注がれたと同様に、こういう戯れのすべてと、すべての人間がこの戯れを行う熱意とに注がれた。

時々彼は胸の奥深くに、消え入るようなかすかな声を聞いた。それはほとんど聞えぬくらいにかすかに警告し、かすかに訴えた。それを感じると、彼はしばしのあいだ自覚した。自分は奇妙な生活を送っている、児戯にすぎないようなことばかりしている、自分はいかにも朗らかで、時々喜びを感じるけれど、ほんとの生活は自分に触れることなく、自分のそばを流れ過ぎて行く、と。――球戯をする人が球をもてあそぶように、彼は仕事と周囲の人間をもてあそんでいた。彼らをながめ、彼らをおもしろがった。しかし、心から、自分の人格の源泉からそれにたずさわるのではなかった。源泉はどこか彼から遠くを流れた。目に見えぬところを流れ、彼の生活ともはや何のかかわりもなかった。いくどか、そう考えて彼はぎょっとした。そして、単に傍観者としてかたわらに立っているのでなく、日々の子どもらしい行いにも情熱をもってたずさわり、ほんとに生き、ほんとに行為し、ほんとに楽しみ生きることができたら、と願った。

絶えず、彼は美しいカマーラのもとにもどって来、恋の術を学び、享楽の礼拝を行った。そこではほかのどこよりも与えることと受けることが一つとなった。彼はカマーラと雑談し、彼女から学び、彼女に助言を与え、彼女から助言を受けた。かつてゴーヴィンダが彼を理解した以上に、彼女は彼を理解した。彼女はよりよく彼に似ていた。

あるとき、彼は彼女に言った。「あなたは私に似ています。あなたは大多数の人とちがっている。あなたはカマーラで、ほかの何ものでもありません。あなたの内部には静かな避難所があって、あなたはいつでもそこへ入って、そこを家とすることができます。私もそうすることができます。だが、そういうところを持つ人はほとんどありません。実際はだれでも持ちうるはずなんですが」

「すべての人が賢いわけではありません」とカマーラは言った。

「いや」とシッダールタは言った。「その点が問題なのではありません。知力にかけてカーマスワーミは私と同じくらい賢いが、心の中に避難所を持っているものがあります。大多数の人間は、幼な子にすぎない人でも、避難所を持っています。風に吹かれ、空中に舞い、ひらひらとよろめいて大地に散り落ちる葉に似ています。ほかに少数ながら星に似ている人があります。固定した軌道を進み、どんな風にもとらえられません。自分自身の中に法則と軌道を持っています。私は学者や沙門《しゃもん》をたくさん知っているけれど、そういう種類のただひとりだけが完全な人でした。その人を忘れることができません。それはかの覚者《かくしゃ》ゴータマで、あの教えの告知者です。千人もの弟子が毎日彼の教えを聞き、毎時彼のおきてに従っています。しかし、彼らはみんな散り落ちる木の葉のようなもので、自分自身の中に教えと法則を持っていません」

カマーラは微笑しながら彼をしげしげと見た。「またしてもあの方の話をなさるのね」と彼女は言った。「あなたはまた沙門の考えにお帰りになるのね」

シッダールタは口をつぐんだ。ふたりは、愛の戯れを、カマーラの知っている三十か四十の異なった戯れの一つを戯れた。彼女のからだはトラのように、猟師の弓のようにしなやかであった。彼女から愛を学んだものは、多くの歓楽と秘密とに通じた。長いあいだ彼女はシッダールタと戯れ、彼を誘い、突き放し、強制し、抱きからめ、彼の技能を楽しんだ。ついに彼は圧倒され、力つきて彼女のかたわらに身を横たえた。

彼女は彼の上にかがんで、長いあいだ彼の顔と疲れた目をのぞきこんだ。

「あなたは、これまで私の会った愛人の中でいちばんすぐれています」と彼女は考えてみながら言った。「あなたはほかの人より強く、しなやかで、すなおです。私の技巧をよく習得しました、シッダールタよ、いつか、もすこし年をとったら、私はあなたの子どもを産みたい。でも、あなたはやはり沙門です。私を愛してはいません。だれをも愛しはしません。そうじゃありませんか」

「そうかもしれない」とシッダールタはだるそうに言った。「私はあなたに似ている。あなたも人を愛してはいない――愛しているとしたら、どうして愛を技巧として行うことができよう？　われわれのような種類の人間はおそらく愛することができないだろう。小児人なら愛することができよう。それが彼らの秘密だ」

輪廻《りんね》

長いあいだシッダールタは世俗と享楽の生活を送ったが、それに入りきることはできなかった。ひたむきな沙門の時代に殺されていた官能がふたたび目ざめた。彼はぜいたくを味わった。歓楽を権勢を味わった。しかも彼は心の中で久しきにわたって依然として沙門だった。そのことを賢い女カマーラは正しく見ぬいていた。彼の生活を導いているのは、常に思索する術、待つ術、断食する術だった。世俗の人間、小児人は常に彼にとって無縁であった。彼が彼らにとって無縁であったように。

歳月は過ぎ去った。安逸に包まれて、シッダールタは歳月の消え去るのをほとんど感じなかった。彼は金持ちになった。久しい前から自分の家と使用人を持っていた。市外の川べに庭園を持っていた。人々は彼に好意を寄せた。金や助言の必要なときは、彼のところにやって来た。しかし、カマーラのほかには、彼と近しい間柄《あいだがら》のものはひとりもいなかった。

かつて彼が青春の頂点において、ゴータマの説教を聞き、ゴーヴィンダと別れた後に体験した、あの高い明るい目ざめ、あの緊張した期待、教えも師も持たなかった孤高、神の声を自分の心の中に聞く弾力のある覚悟、そういうものは次第に思い出となり、たよりないものとなっていた。かつては身近にあり、彼自身の中でせせらいでいた神聖な泉が今はかすかに遠くで音を立てていた。沙門から、ゴータマから、バラモンなる父から学んだ多くのことは、まだ長いあいだ彼の中に残っていた。節度のある生活、思索の喜び、瞑想《めいそう》のとき、肉体でも意識でもない自己、永遠な自我の自覚など、そういうものは彼のうちにかなり残っていたが、逐次没し去って、ほこりにおおわれてしまった。陶工のろくろが一度動かされると、長いあいだ回転しているが、徐々に衰え、ついには停止するように、シッダールタの魂の中でも、禁欲の車輪、思索の車輪、分別の車輪は長いあいだ回転し続け、依然として回転してはいたが、緩慢に、たゆたいながら回転し、静止に近づいていた。湿気が枯死していく樹幹に浸《し》みこみ、徐々にこれを満たし腐らすように、シッダールタの魂の中にも俗世と惰性が徐々に浸みこみ、徐々に魂を満たし、重くし、疲れさせ、眠りこませた。それに代って彼の官能が活気を帯び、多くを学び、多くを経験した。

シッダールタは取引きを行い、人に力を及ぼし、女に満足することをおぼえた。

美しい着物を着、召使たちに命令し、芳香を放つ湯に入ることをおぼえた。細心入念に調理された食べ物を、魚や肉や鳥や香料や甘味類をも食べ、人をだらけさせ忘れっぽくさせる酒を飲むことをおぼえた。さいころをもてあそび、将棋をさし、踊り子をながめ、かごで運ばれ、柔らかい寝床に眠ることをおぼえた。しかし依然として他の人たちと異なり、人にまさっていることを自覚していた。いつもいくらかの嘲りをもって、いくらか嘲笑的《ちょうしょうてき》なけいべつをもって、沙門が常に俗人に対して感じるようなけいべつをもって、人々をながめた。カーマスワーミが病気がちのとき、腹を立てているとき、侮辱されたように感じているとき、商人の心労に悩んでいるとき、いつもシッダールタは嘲りをもってそれを見ていた。徐々に、知らず知らずのうちに、収穫期が去り、雨期が去るのを重ねるにつれ、彼の嘲りは弱まり、優越感は鳴りをひそめていった。増大していく富に囲まれているうちに、徐々にシッダールタ自身、小児人《しょうにじん》の性質を、その子どもらしさを、小心翼々さをなにがしか身につけるようになった。しかも彼は小児人たちをうらやんだ。彼が彼らに似てくればくるほど、いっそう彼らをうらやんだ。彼らが持っていて、彼に欠けている一つのもののゆえに、彼は彼らをうらやんだ。彼らがその生活を後生大事に考える点で、彼らが喜びや心配に執着する煩悩《ぼんのう》の点で、彼らが絶えず愛欲に浸って不安なしかも甘い幸福を味わっている点で、彼は彼らをうらやんだ。小児人たちは年中、自分自身に、女に、自分の子どもに、名誉や金に、計画や希望におぼれていた。しかし、そういうことを彼は彼らから学びはしなかった。そのような子どもの喜びや愚かさを学びはしなかった。彼が彼らから学んだのは、彼みずからけいべつする不快さであった。にぎやかな一夜をすごした翌朝おそくまで床に寝そべって、ばかばかしくげんなりした気持ちを感じることが、いよいよ頻繁《ひんぱん》になった。カーマスワーミが心配をならべ立てて彼を退屈させるごとに、腹が立って、じれったくなることが起った。さいころ遊びに負けると、調子はずれに大きな声で笑うことが起った。彼の顔は相変らずほかの人たちより賢く精神的であったが、笑うことはまれだった。そして富裕な人々の顔にしばしば見られるような表情を、不満やいらだちやふきげんや怠惰や薄情などの表情をつぎつぎと帯びるようになった。彼は徐々に金持ちの心の病にとりつかれていった。

薄ぎぬのように、薄い霧のように、けだるさがシッダールタの上に垂れさがってきた。徐々に、日ごとに少しずつ厚く、月ごとに少しずつ暗く、年ごとに少しずつ重く。――新しい着物が時とともに古くなり、時とともに美しい色を失い、しみやしわができ、ふちがすり切れ、ここかしこにたるんだぼろぼろな個所が見え出すように、ゴーヴィンダに別れてから始まったシッダールタの新しい生活は、古くなってしまい、過ぎて行く年々とともに、色とつやを失い、しわとしみが積み重なった。幻滅と嘔吐《おうと》感が、まだ底の方にひそんではいたが、ここかしこにもう醜く顔をのぞかせながら、待ち伏せていた。シッダールタはそれに気づかなかった。彼が気づいていたのは、かつて彼の中に目ざめ、輝かしいときに彼をおりおり導いてくれた内心の明るい確かな声が、沈黙がちになったということだけだった。

俗世間が、快楽が、欲望が、惰性が、彼をとらえてしまった。ついには、最も愚かしいものとして彼が常に最もけいべつし嘲《あざけ》っていた悪徳、すなわち金銭欲までが彼をとらえた。財産、所有、富もついに彼をとらえた。それは彼にとってもはやくだらないおもちゃではなくなって、鎖となり重荷となった。この最後の最も卑しむべき執着に、シッダールタは奇妙な、油断もすきもならぬ道によって、すなわちさいころ遊びによって落ちこんでいった。心の中で沙門であることをやめたときから、シッダールタは、金や貴重品を賭《か》けたばくちを、狂気じみた熱情をつのらせてやった。前にはそんなばくちは小児人の習わしとして、にやにや笑いながら投げやりにやっていたにすぎなかったのだが。――彼はばくち打ちとして恐れられた。彼を相手にできるものはあまりいなかった。それほど彼の賭金は高く大胆だった。彼は心の苦しみをまぎらすために賭をした。あさましい金を賭で失ったり、浪費したりすることは、腹立たしい喜びを彼に与えた。その方法より以上にはっきりと嘲笑的に、商人の偶像である富に対するけいべつを現わすことはできなかった。こうして彼は自分自身を憎み嘲りながら、高く仮借なく賭け、数千金をかかえこみ、数千金を投げ出し、金や装飾や別荘を失っては取りもどし、また失った。あの不安、さいころを投げる間に、高い賭金におびえる間に感じる、あの恐ろしい息詰る不安を、彼は好み、それを絶えず新たにし、いよいよつのらせ、いよいよ高くそそろうと努めた。その気持ちの中にだけ、彼はなお幸福のようなもの、陶酔のようなもの、高められた生活のようなものを、飽き飽きした、なまぬるい、気の抜けた生活のただ中で感じたからである。大きな損をするごとに、彼は新たな富をねらい、いっそう熱心に取引きに従い、いっそうきびしく債務者に支払いを強いた。彼はさらに賭を続け、浪費を続け、富にけいべつを示し続けようとしたからである。シッダールタは損をすると落ちつきを失い、支払い物がとどこおると寛大さを失い、物乞いに対しては親切心を失い、懇請するものに金を貸与する喜びを失った。一度のさいころに一万金を失っても笑っているくせに、取引きにかけてはだんだんきびしく、けちくさくなった。夜は時々金を夢に見さえした！　この醜い陶酔から目ざめるたびごとに、寝室の壁の鏡に自分の顔が老《ふ》けて醜さを加えたのを見るたびごとに、恥ずかしさと嘔吐感に襲われるたびごとに、彼はいよいよ新しい賭に逃げこみ、歓楽と酒の麻酔の中に逃げこみ、それから反転して、もうけと蓄財の衝動に逃げこんだ。この無意味な循環を描いて走り続けつつ、彼は疲れ、老い、病んでいった。

そのうちあるとき、一つの夢が彼に警告した。カマーラのもとで、その美しい林間ですごした晩のことであった。ふたりは木立ちの下にすわって、話し合っていた。カマーラは思案に沈んだことばを口にした。悲しみと疲れのひそんでいることばだった。彼女は彼にゴータマの話をしてほしいとたのみ、ゴータマの目がどんなに清らかであったか、その口がどんなに静かで美しかったか、その微笑がどんなにやさしかったか、その歩みがどんなに穏やかであったか、彼の語るのを飽かず聞いた。彼は長い間けだかい仏陀《ぶっだ》について話して聞かせねばならなかった。カマーラは溜息《ためいき》をついて言った。「いつの日か、たぶん近いうちに、私もこの仏陀に従うでしょう。私の林園を仏陀にさしあげ、その教えを避難所とするでしょう」。しかしそのあとで彼女は彼を刺激し、痛いほどの熱情をもって恋の戯《たわむ》れを続けながら彼を抱きしめた。涙を流し、彼にかみつき、このむなしいはかない享楽《きょうらく》からもう一度最後の甘いしずくを搾《しぼ》り取ろうと欲するかのようだった。歓楽がどんなに死に近いかを、シッダールタはこんなに異様にはっきりと感じたことはなかった。それから彼は彼女に寄り添って寝た。カマーラの顔が間近にあった。彼女の目の下に、口もとに、いつになくはっきりと、彼は恐ろしい文字を読んだ。細い線とかすかなしわでできた文字、秋と老いを思わす文字だった。シッダールタ自身、やっと四十代だったのに、もうそこかしこ黒い髪の間に白髪が目についたように。――カマーラの美しい顔に、疲れが、楽しい目標を持たずに長い道を歩いた疲れが、疲れと衰えのきざしが記されていた。秘められた、まだ口にされたことのない、おそらくはまだ意識されたこともない恐れ、老いに対する恐怖、秋に対する恐怖、死の定めに対する恐怖だった。嘆息しながら彼は彼女に別れを告げた。不快と秘められた恐れに満ちた心を抱いて。

その夜シッダールタは自分の家で踊り子たちと酒を飲みながらすごし、同輩たちに対し優越した男のように振舞ったが、実はもう優越した男なんかではなかった。それでたくさん酒をあおり、真夜中過ぎておそく床に入った。疲れていたが、興奮して、絶望のあまり泣き出しそうだった。長いこと眠ろうとして眠れず、もうとても耐えられないようなみじめさで胸がいっぱいだった。酒のなまぬるいいやな味や、甘ったるすぎるうつろな音楽を、踊り子たちのあまりに柔弱な微笑や、彼女らの髪や乳房のあまりに甘いにおいなどに満たされたような嘔吐感で胸がいっぱいだった。だが、何よりもいやでたまらなかったのは、自分自身、自分の髪のにおい、自分の口から出る酒の臭気、自分の皮膚のたるんだ疲れと不快感だった。あまりに飲んだり食ったりしすぎて、苦しみながら吐き、やっと軽い気分になれたのを喜ぶ人のように、眠れぬ彼は、あふれるようにこみあげる嘔吐感の中で、この享楽から、この悪習から、無意味なこの生活全体から、自分自身から脱却したいと願った。朝の光がさし始め、市内の邸宅の前で街上の活動が目ざめ始めるころになって、やっと彼はうとうとし、しばしの間なかば気が遠くなり、眠れそうな気がした。その短い間に彼は夢を見た。

カマーラは金色の鳥かごに珍しい小さい歌い鳥を飼っていた。その鳥の夢を彼は見たのだった。こういう夢だった。いつも朝かならず歌うこの鳥が歌わなくなった。不思議に思って、かごのそばに行って、中をのぞいてみると、小鳥は死んでおり、硬くなって下に横たわっていた。彼は小鳥を取り出して、ちょっと手のひらにのせて揺すってみたが、小路にほうり出してしまった。とたんに彼は恐ろしくぎょっとした。この死んだ小鳥とともにいっさいの価値と幸福とを投げ捨ててしまいでもしたように、彼の胸は痛んだ。

この夢がさめてぱっとはね起きると、彼は深い悲しみに包まれているのを感じた。価値もなく、意味もなく、生活を送ってきたように思われた。生命のあるもの、何か値打ちのあるもの、保存に値するものは、何ひとつ彼の掌中に残っていなかった。岸べの難破者のように、ひとり空虚に彼は立っていた。

暗い気持ちで彼は自分の持ち物である遊園に入り、門を閉じ、マンゴーの木の下に腰をおろした。心中に死を、胸中に恐怖を感じて、じっとすわっていると、自分の中で何かが死に、しぼみ、終りはてるのが感じられた。徐々に考えを集中して、思い出せる最初の日から、生涯《しょうがい》の全行路をもう一度精神の中で歩いてみた。いったいいつ幸福を体験し、真の喜びを感じたことがあったろうか。たしかにいくどもそういうものを体験したことはあった。少年時代、バラモンたちから賞賛をかち得たとき、同年輩のものたちをはるかに抜きんでて、聖句の暗唱に、学者との討論に、いけにえの助手としての勤めに優秀さを示したとき、それを体験した。そういうとき、彼は心の中で「お前の召されている道が前に横たわっている。神々がお前を待っている」と感じた。また、青年時代、いよいよ高く飛躍する思索の目標が、等しく努力するものたちの群れの中から彼を引き抜き、引きあげたとき、苦しみながら梵《ぼん》の意味を求めて戦ったとき、新たな知に到達するごとに新たな渇《かわ》きをあおられたとき、そういうとき、渇きのただ中にあって、苦痛のただ中にあって、彼はくり返し、「前へ！　前へ！　お前は召されているのだ！」と同じことを感じた。彼は、故郷を去り、沙門の生活を選んだとき、この声を聞いた。沙門たちから離れて覚者《かくしゃ》のもとに赴いたとき、そして覚者を離れて不定な世界に赴いたときにも、その声をまた聞いた。どんなに長い間この声をもう聞かなかったことだろう！　どんなに長い間もはや高い境地に達しなかったことだろう！　どんなに平凡に殺風景に彼の道は過ぎていったことだろう！　どんなに長い年月、高い目標を持たず、渇きをおぼえず、高揚を感ぜず、ささやかな享楽に満足し、しかもついぞ満たされることなくすごしたことだろう！　この年月を通じて彼は、みずから気づかずに、これらの多くの人々のような、小児のような人間になろうと努力し、あこがれてきたのだった。しかも彼の生活は彼らの生活よりはるかにみじめで貧しかった。彼らの目標は彼の目標とならず、彼らの心労は彼の心労とならなかったからである。カーマスワーミ的人間たちの世界全体は彼にとっては一つの遊戯にすぎず、見物する踊りにすぎず、喜劇にすぎなかったからである。カマーラだけがこれまで彼にとっていとしく、貴重だった。——だが、今でもなおそうだったろうか。彼はまだ彼女を必要としたろうか。彼女は彼を必要としたろうか。ふたりははてしない遊戯を演じていたのではなかったか。そのために生きることはどうしても必要だったろうか。いや、必要ではなかった！　この遊戯は輪廻（サンサラ）と呼ばれた。小児人たちのための遊戯だった。一度、二度、十度と戯れるには、たぶん優美な遊戯だった——だが、くり返しくり返し戯れるのは？

ここでシッダールタは、遊戯が終ったことを、もはやこれを演じ続けえないことを悟った。身震いが彼のからだを走った。自分の内部で何かが死んだのを、彼は感じた。

その日終日、彼はマンゴーの木の下にすわって、父をしのび、ゴーヴィンダをしのび、ゴータマをしのんだ。カーマスワーミとなるために、これらの人々から離れなければならなかったのか。夜になっても、彼はすわり続けていた。仰いで星を見たとき、彼は考えた。「ここに自分は自分の遊園の中に、マンゴーの木の下にすわっている」と。そしてかすかに微笑した。──マンゴーの木を持つこと、庭園を持つことは、いったい必要だったろうか。正しかっただろうか。愚かしい戯れではなかったろうか。

そんなものをも彼は断ち切った。そんなものも彼の中で死んでしまった。彼は立ちあがり、マンゴーの木に、遊園に別れを告げた。その日彼は食物をとらずにしまったので、はげしい空腹を感じ、町にある自分の家のこと、へやと寝床のこと、食物ののっている食卓のことを思い出した。が、彼は疲れた微笑を浮べ、からだを揺すぶり、これらのものに別れを告げた。

この夜のうちにシッダールタは彼の庭を捨て、町を捨てて、もはやもどらなかった。カーマスワーミは、シッダールタが盗賊の手に落ちたものと思って、さがさせた。カマーラはさがさせはしなかった。シッダールタがいなくなったと聞いたとき、彼女は怪しまなかった。彼女はいつもそれを予期していはしなかったか。シッダールタは沙門ではなかったか。家なきもの、巡礼者ではなかったか。彼女はそのことを最後に会ったとき、最も強く感じた。彼を失った苦痛にとりまかれながら、彼女はあの最後のとき彼をあんなに熱烈に抱きしめ、もう一度彼のものになりきり、彼に満たされた気持ちになったのをうれしく思った。

シッダールタがいなくなったという最初の知らせを受け取ったとき、彼女は、珍しい歌い鳥を黄金のかごに飼っていた窓べに歩み寄った。そして、かごの戸を開き、鳥を取り出して、飛ばせてやった。飛んで行く鳥を彼女はいつまでも見送っていた。その日から彼女はもう客を受けつけず、家を閉ざした。しばらくたって彼女は、シッダールタとの最後の歓会のとき身ごもったことを知った。

川のほとりで

シッダールタは、もう町から遠く離れた森の中をさまよっていた。自分はもはやもどることはできない、長年いとなんできた生活は過ぎ去り、嘔吐をもよおすほどに味わいつくし、吸いつくした、という一事しか頭になかった。彼の夢みた歌い鳥は死んでしまった。心の中の小鳥は死んでしまった。彼は輪廻《りんね》に深く巻きこまれていた。海綿が水をいっぱいに吸いこむように、彼はあらゆる面から嘔吐感と死とを吸いこんでいた。彼はもう飽き飽きしていた。みじめさと死とでいっぱいだった。彼を誘い、喜ばせ、慰めうるものは、この世にもう何ひとつなかった。

自分のことはもう忘れたい、安息を得たい、死にたい、と彼は切望した。電光が襲ってきて、自分を打ち殺してくれればいい！　トラが襲ってきて、自分を食ってくれればいい！　麻酔と忘却と眠りをもたらし、二度と目をさまさせない酒か毒があってくれればいい！　わが身をけがさなかったようなけがれがあったろうか。自分の犯さなかったような罪や痴愚があったろうか。自分の背負いこまなかったような魂の荒廃があったろうか。生きることはまだ可能だったろうか。くり返しくり返し息を吸い、息を吐き出し、空腹を感じ、また食い、また眠り、また女と寝ることは可能だったろうか。この循環は彼にとってつきはて完了していはしなかったか。

シッダールタは森の中の大きな川にたどりついた。かつてまだ若かったころ、仏陀の町からやって来て、渡し守に渡された、あの川だった。この川のほとりにとまって、彼はためらいながらたたずんだ。疲労と飢餓に彼は弱っていた。なんのためにさらに進まねばならなかったか。いったいどこへ、いかなる目標に向って？　いや、もはや目標は存在しなかった。このすさんだ夢を残らず振い落し、気のぬけた酒を吐き出し、みじめな恥ずべき生活を終らせてしまいたいという、深い悩ましい切望よりほかには何も存在しなかった。

川岸に一本の木が垂れかかっていた。ヤシの木だった。その幹にシッダールタは肩をもたれさせ、腕を巻きつけて、足下をおやみなく流れる緑色の水をのぞきこんだ。のぞきこんでいるうちに、手を放して、この水の中に沈んでしまいたいという願いにすっかり満たされているのを感じた。水の中から、ぞっとするような空虚が彼に向って反射した。それに対し彼の心の中の空虚が答えた。たしかに彼はもうおしまいだった。自己を消滅させ、自分の生活のできそこなった形体を打ち砕き、嘲《ちょう》笑《しょう》する神々の足もとに投げ捨てるよりほか、何も残らなかった。これこそ彼の切望する大いなる嘔吐、すなわち、死、自分の憎む形の粉砕であった！　彼を、シッダールタという犬を、この狂人を、この腐敗した肉体を、このたるんだ、使いそこなわれた魂を、魚が食ってくれればよかった！　魚が、ワニが彼を食ってくれればよかった！　魔精どもが彼をずたずたにしてくれればよかった！

顔をゆがめて彼は水中を見つめた。自分の顔が映っているのを見て、それにつばを吐きかけた。ぐったりと疲れて彼は腕を木の幹から放し、少しからだをねじって、これを最後に水中に没するため、まっすぐ身を沈めようとした。彼は目を閉じて、死に向って沈んだ。

すると、彼の魂のすみっこの方から、疲れた生命の過去から、一つのひびきがきらめくように聞えた。それは一つのことば、無意識におぼつかない声で口ずさんだ一つのつづり、あらゆるバラモンの祈りの古い初めの文句と終りの文句、「完全なもの」あるいは「完成」というほどの意味を持つ神聖な「オーム」だった。「オーム」というひびきがシッダールタの耳に触れた瞬間、眠りこんでいた彼の精神が突然めざめ、自分の行為の愚かさを悟った。

シッダールタは深い驚きに打たれた。彼はそういう状態に陥っていたのだった。それほど彼はだめになっていた。それほど迷い、いっさいの知恵に見はなされていた。それで死を求めるほどになっていた。肉体を消し去ることによって、安息を見いだすということの願い、子どもの願いが、彼の心中にのさばることができるほどになっていた。この幾年月のあらゆる苦悩、あらゆる酔いざめ、あらゆる絶望もなしとげえなかったことを、オームが彼の意識に入りこんできた瞬間がなしとげた。すなわち、自分のみじめさと迷いのうちに自己を認識したのだった。

「オーム！」と彼はつぶやいた。「オーム！」そして梵を知った。生命の破壊しがたいことを、忘れていたいっさいの神々《こうごう》しいものをふたたび知った。

だが、それはほんの一瞬間、電光のひとひらめきの間のことだった。シッダールタはヤシの木の根もとに倒れ、疲労に打ちのめされて、オームをつぶやきながら、頭を木の根に横たえ、深い眠りに沈んだ。

眠りは深く、夢に悩まされはしなかった。久しく彼はそのような眠りを知らなかった。幾時間かの後、目をさますと、十年もたったような気がした。水のかすかな流れが聞えた。自分はどこにいるのか、だれが自分をここに連れて来たのか、わからなかった。目を開くと、頭の上に木と空が見えたので、驚いた。やっと自分がどこにいるのか、どうしてここに来たのかを思い出した。しかしそれまでには長い時間を要した。過去が薄ぎぬにでもおおわれているように、無限に遠く、無限に離れて横たわり、はてしもなく無縁なことのように思われた。（われにかえった最初の瞬間、以前の生活が彼には、自分の今日の我《が》の、遠くさかのぼった昔の化身、前生《ぜんしょう》のように思われた）。自分は以前の生活を捨てたこと、たまらなくいやな気持ちとみじめさでいっぱいになって自分の生命を投げ捨てようと欲したこと、だが、川のほとりのヤシの木の下で、神聖なオームを口にして我《が》にかえってから、眠りこんだこと、そしていま新しい人間として目ざめて世界を見ていること、それだけがわかった。彼は、自分を寝入らせたオームを小声でつぶやいた。自分の長い眠り全体が、長い無心なオーム発声に、オーム思索に、オームへの、名状しがたいもの、完成されたものへの没頭、帰入にほかならなかったように思われた。

だが、それはなんという霊妙な眠りだったことだろう！　眠りが彼をそれほどさわやかにし、よみがえらせ、若がえらせたことはかつてなかった！　自分はほんとに死んだのかしら？　滅んで、新しい形となって生れかえったのかしら？　いや、そうではない。彼は自分を知っていた。自分の手を、足を知っていた。自分の横たわっている場所を知っていた。胸中の我《が》を、このシッダールタを、わがままものを、風変りな男を知っていた。しかしこのシッダールタはやはり変化していた。改まっていた。異常に深く眠り、異常に目ざめ、喜びと好奇心に満ちていた。

シッダールタは起きあがった。すると、向い合ってすわっている人が見えた。見知らぬ男、頭をそり、黄衣をまとった僧で、冥想《めいそう》の姿勢をしていた。頭髪もひげもない男を彼はじっと見つめた。見つめていると、まもなく、この僧が青年時代の友人ゴーヴィンダ、世尊仏陀《せそんぶっだ》のもとに避難所を求めたゴーヴィンダ、であることがわかった。ゴーヴィンダも年をとっていたが、その顔は依然として昔の表情をそなえ、熱心さを、誠実さを、模索を、小心さを語っていた。やがて、ゴーヴィンダは彼のまなざしを感じ、目を開いて、彼を見たが、相手が自分であることがわからないでいるのを、シッダールタは知った。ゴーヴィンダは相手が目をさましたのを喜んだ。明らかにここに長い間すわって、彼の目ざめるのを待っていたのだ。シッダールタだということはわからなかったのだが。

「よく眠った」とシッダールタは言った。「どうしておん身はここに来られたのか」

「おん身はよく眠った」とゴーヴィンダは答えた。「こんなところで眠るのはよくない。こういうところにはよくヘビが出るし、森のけだものが現われるから。——私は崇高なゴータマ、仏陀、釈迦牟尼《しゃかむに》の弟子だ。仲間の一行とともにこの道を遍歴して来たら、眠っては危険な所におん身が横になって眠っているのを見たので、おん身を起そうとした。ところが、おん身の眠りが非常に深いのを知ったので、仲間のあとに残って、おん身のそばにすわっていたのだ。そのうち、おん身の眠りを見張ろうと思った私自身が寝こんでしまったらしい。自分のつとめをよくはたさなかった。疲れに負けてしまったのだ。だが、おん身は目をさましたのだから、行かせてもらおう。仲間に追いつくように」

「私の眠りの番をしてくださってありがとう、沙門《しゃもん》よ」とシッダールタは言った。「おん身たち、覚者の弟子は親切だ。では、行かれるがよい」

「行こう。おん身もいつも無事でおられるように」

「ありがとう、沙門よ」

ゴーヴィンダは別れの身振りをして言った。「ごきげんよう」

「ごきげんよう、ゴーヴィンダよ」とシッダールタは言った。

僧は立ちどまった。

「失礼ながらおん身はどうして私の名を知っておられるのか」

すると、シッダールタは微笑した。

「おおゴーヴィンダよ、私はおん身を知っている、おん身が父上の家にいたころから、バラモンの学校にいたころから。いけにえをささげたころから、沙門のもとに赴いたころから、おん身が祇園《ぎおん》の森で覚者のもとに避難所を求めたときから」

「シッダールタだ！」とゴーヴィンダは大声で叫んだ。「今になってわかった。すぐにおん身だということがわからなかったとは、不可解だ。ようこそ、シッダールタ、おん身に再会できて、私は実にうれしい」

「おん身に再会できて、私もうれしい。おん身は私の眠りを見張ってくれた。それに対して重ねてお礼を言うよ。もっとも私は見張りなんかいらなかったのだけれど。おん身はどこへ行くのか」

「私はどこにも行かない。われわれ僧は、雨期でないかぎり、常に歩いている。常に村から村へと歩き、おきてに従って暮し、教えを伝え、喜捨を受け、さきへ行く。常にそうやっている。だが、シッダールタよ、おん身はどこへ行くのか」

シッダールタは言った。「友よ、私もおん身と同様だ。私はどこにも行かない。私は途上にあるだけだ。私は遍歴する」

ゴーヴィンダは言った。「おん身は遍歴すると言う。私はそれを信じる。だが、許せ、おお、シッダールタよ。おん身は遍歴者のようには見えない。おん身は金持ちの服をまとい、貴人のくつをはいている。香水のにおいのするおん身の髪は、遍歴者の髪でも、沙門の髪でもない」

「もっともだ。おん身はよく観察した。おん身の鋭い目はすべてを見てとる。だが、自分は沙門だとは、おん身に言いはしなかった。自分は遍歴している、と言った。そうなのだ。私は遍歴している」

「おん身は遍歴している」とゴーヴィンダは言った。「だが、そういう服で、そういうくつで、そういう髪をして遍歴するものは、あまりいない。私はもう多年遍歴しているが、そのような遍歴者に会ったことは、ついぞない」

「私はおん身の言うことを信じる、ゴーヴィンダよ。だが、きょうおん身はまさにそういう遍歴者に会ったのだ。そういうくつをはき、そういう服装をした遍歴者に。友よ、想起するがよい。形あるものの世界は無常だ。われわれの装いは、髪の形は、われわれの髪や肉体そのものは無常だ、極度に無常だ。私は金持ちの服をまとっている。まさしくおん身の見たとおりだ。それをまとっているのは、私は金持ちだったからだ。私は俗人や遊蕩児《ゆうとうじ》のような髪をしている。私はそういうもののひとりだったからだ」

「そして今は、シッダールタ、今はおん身は何なのだ？」

「私にはわからない。おん身にわからないと同様に、私にもわからない。私は途上にいるのだ。私は金持ちだった。だが、今はもうそうではない。明日何になるか、私にはわからない」

「おん身は富を失ったのか」

「私は富を失った。あるいは富が私を失ったのかもしれない。富は私からなくなった。形あるものの車輪は急速に回転する、ゴーヴィンダよ。バラモン・シッダールタはどこにいるか。沙門シッダールタはどこにいるか。金持ちシッダールタはどこにいるか。無常なものは急速に変化する。ゴーヴィンダよ、おん身はそれを知っているはずだ」

ゴーヴィンダは、目に疑いをたたえて、青年時代の友を長いあいだ見つめた。それから、貴人にあいさつするように、あいさつして、立ち去った。

顔に微笑を浮べてシッダールタは彼を見送った。彼はこの誠実な男を、小心な男を、変ることなく愛していた。それに、この瞬間、オームに満たされたあの霊妙な眠りの後のこのすばらしいときに、だれかを、何かを愛さないということが、どうしてありえたろう！　眠っている間に、オームを通して彼の中に生じた不可思議の本領は、彼がいっさいを愛したということ、彼の見たいっさいのものに対して楽しい愛に満ちていたということにあった。以前には彼は何ものをも、何びとをも愛しえなかったことによって、あんなにひどく病んでいたのだ、と今にして彼には思われた。

顔に微笑を浮べてシッダールタは、立ち去って行く僧を見送った。眠りは彼を大いに元気づけたが、空腹は彼を大いに悩ました。二日間何も食べなかったからだ。彼が空腹に耐える力を持っていた時期は、ずっと前に終っていた。悲しく、同時にまた笑いをもって、あの時期を彼は思い出した。あのころ彼はカマーラの前で三つのことを自慢したのを思い出した。三つの高尚《こうしょう》な無敵の術、すなわち、断食《だんじき》することと――待つことと――考えることができた。それが彼の所有であり、彼の強みであり、力であり、確実な杖《つえ》であった。青春の勤勉な、辛苦に満ちた年月の間に、この三つの術を学んだ。それ以外のものは何も学ばなかった。これが今は彼を見捨ててしまった。三つのどれもが、断食することも、待つことも、考えることも、もはや、彼のものではなかった。最もあさましいことのために、最もはかないことのために、官能の喜びのために、安逸の生活のために、富のために、あの三つを放棄してしまったのだった！　実際、彼は奇妙な経路をたどってきた。今、彼はほんとに小児人になってしまった、と思われた。

シッダールタは自分の身の上を考えめぐらしてみた。考えることは骨が折れた。せんじつめれば、考える気がなかったのだ。だが、彼は自分を強いて考えてみた。それらの無常きわまるものがまた自分の手から離れてしまったので、今や自分はまた、昔幼児だったころと同じように、太陽の下に立っている、自分のものは何もない、自分は何もできない、何の能力もない、何も習得していない、と彼は考えた。なんと奇妙なことだろう！　もはや自分は若くはなく、髪はすでに半ば白くなり、力も衰えていく今ごろになって、ふたたび初めから、幼児のところからやりなおさなければならない！　彼はまた微笑せずにはいられなかった。ほんとに彼の運命は奇妙だった！　彼は下り坂をたどった。今ふたたび彼はこの世界に空虚に裸に愚かになって立っていた。しかし、その点について彼は少しも悲しみを感じなかった。それどころか、笑いたい気を、自分自身を笑いたい気を、この奇妙な愚かしい世界を笑いたい気を大いにそそられた。

「お前は下り坂をたどるのだ！」と彼は自分に向って言うとともに笑った。そう言ったとき、彼のまなざしは川の上に落ちた。川もまた下って行くのを、絶えず下へ移って行くのを、しかも歌いながら楽しそうにしているのを、彼は見た。それが彼の心にかなった。彼は親しげに川に向ってほほえみかけた。それは、彼が身を沈めようと欲した川ではなかったか、昔、百年も前に。それともそれは夢だったのか。

実際自分の生涯《しょうがい》は奇妙だった、奇妙なまわり道をたどった、と彼は考えた。少年のころ自分はひたすら神々といけにえを事としていた。青年のころ自分はひたすら禁欲と思索と冥想を事とし、梵《ぼん》を求め、真我の中の永遠なものをあがめた。壮年のころ自分は苦行者のあとを追い、森の中で暮し、暑熱と寒気に苦しみ、飢えをしのぐことを修行し、肉体に死滅することを教えた。それから偉大な仏陀の教えにおいて認識が霊妙な形で自分に近づいた。世界の統一についての知識が、自分の血液のように自分の体内をめぐるのを感じた。だが、仏陀からも大きな知識からも自分はまた去らねばならなかった。自分は去って、カマーラのもとで愛の喜びを学び、カーマスワーミのもとで取引きを学び、金を積み、金を散じ、自分の胃を愛し、自分の官能にこびることを学んだ。精神を失い、思索を離れ、統一を忘れるため、多くの歳月をすごさねばならなかった。自分は徐々に大きなまわり道をしておとなから子どもになり、思索家から小児人《しょうにじん》になったようなものではないか。だが、この道は非常によかった。自分の胸の中の小鳥は死にはしなかった。しかしそれはなんという道だったろう！　自分はあんなに多くの愚かさ、あんなに多くの悪徳、あんなに多くの迷い、あんなに多くの不快さと幻滅と悲嘆とを通り抜けねばならなかった。それもまた子どもにかえり、新しく始めるためにすぎなかった。だが、それはそれで正しかった。私の心はそれに対し、よしと言い、私の目はそれに対し笑いかける。慈悲を体験し、ふたたびオームを聞き、ふたたび正しく眠り、正しく目ざめうるためには、絶望を体験し、あらゆる考えの中でいちばんばかげた考え、つまり自殺の考えにまで転落しなければならなかった。自分の中にふたたび真我を見いだすために、自分は痴人にならねばならなかった。ふたたび生きうるために、罪を犯さねばならなかった。このうえ自分の道はどこへ自分を連れて行くことかしら？　この道はたわけている。らせん形を描いている。輪を描いているのかもしれない。好きなように進むがよい。自分はその道を行こう。

不思議に自分の胸の中に喜びがわきあがってくるのを、彼は感じた。

いったいどこからお前はこの楽しさを得たのか、と彼は自分の心にたずねた。自分にあんなに快感を与えてくれた長い熟睡から来たのか。それとも、自分が発したオームということばから来たのか。それとも、自分がのがれたこと、自分の脱出が遂行されたこと、自分がついにまた自由になり、幼児のように青空の下に立っているということから来たのか。ああ、このようにのがれたこと、自由になったのは、なんとよいことだろう！　ここでは空気がなんと清く美しく、なんとよく呼吸できることだろう！　自分が逃げて来たかなたでは、何もかもが香油、香料、酒、飽満、惰性のにおいがした。金持ちや美食家や賭博者《とばくしゃ》のあの世界を、自分はどんなに憎んだことだろう！　あの恐ろしい世界にあんなに長く居つづけた自分をどんなに憎んだことだろう！　自分をどんなに憎み、そこね、毒し、さいなみ、老いこませ、悪くしたことだろう！　いや、自分はもう決して、かつて好んでしたように、シッダールタは賢いなどと思いあがることはしないだろう！　自分自身に対する憎悪《ぞうお》が、愚かなすさんだ生活が終りを告げたのは、よいことをした、自分の心にかなった、ほめずにはいられない！　私はお前を、シッダールタをたたえる。お前は長い年月の後にふたたびあることを思いつき、あることをなした。胸の中の小鳥が歌うのを聞き、それに従った！

このように彼は自分をほめ、自分に喜びを感じ、空腹のためうなっている胃に好奇心をもって耳を傾けた。一片の苦悩とみじめさをこの日ごろすっかり味わいつくし、吐き出し、絶望と死に至るまで食いつくした、と彼は感じた。それでよかった。あの慰めも望みも完全に失った瞬間、流れる水の上にかがんで、死ぬ覚悟をした、あの絶体絶命の瞬間、あれが来ることがなかったら、いつまでも彼はカーマスワーミのもとにとどまり、金をもうけ、浪費し、腹を肥やし、魂をひからびさせ、いつまでも柔らかい快いしとねの地獄に住み続けることができたろう。あの絶望を、最も深い嘔吐《おうと》感を感じたこと、しかもそれに負けなかったこと、彼の中の小鳥、楽しい泉と声がやはりまだ生きていたこと、それに彼は喜びを感じ、笑った。それに彼の顔は白くなった髪の下で輝いた。

「知る必要のあることをすべて自分で味わうのは、よいことだ」と彼は考えた。「世俗の喜びと富とが善いものではないことは、自分は子どものときにもう学んだ。それは久しい前から知っていたが、体験したのは今はじめてだった。今自分はそれを知っている。記憶で知るだけでなく、自分の目で、心で、胃で知っている。自分がそれを知ったのは、しあわせだ！」

自分の変化について彼は長いあいだ考え、喜びのために歌っている小鳥に耳を澄ました。この鳥は彼の心の中で死んでいなかったのか。彼の死を感じなかったのか。いや、何かほかのものが彼の中で死んだ。もう久しく死ぬことを切望していた何かが死んだ。それは、彼がかつて焼けるようなざんげ苦行のころ殺してしまおうと思ったものではなかったか。それは、彼の自我ではなかったか。彼があんなに長い年月相手にして戦った、小さい臆病《おくびょう》な高慢な自我ではなかったか。くり返し彼を打ち負かしたが、殺されても殺されてもまた現われて、喜びを制止し、恐怖を感じた自我ではなかったか。きょうついにここで森の中でこの愛すべき川のほとりで死を見いだしたのは、その小さい自我ではなかったか。彼がいま子どものようになったのは、信頼にあふれ、恐怖を抱かず、喜びにあふれていたのは、その小我が死んだゆえではなかったか。

今シッダールタは、なぜ自分がバラモンとして、苦行者としてこの自我とむなしく戦ったかを、ほのかに感じた。あまりに多くの知が、あまりに多くの聖句が、あまりに多くのいけにえの規則が、あまりに多くの禁欲が、あまりに多くの行為と努力が彼を妨げたのだ！　彼は常に自負に満ちていた。常に最も賢いもの、最も熱心なものであった。常に衆に一歩さきんじていた。常に知者であり、精神的なものであり、司祭であり、賢者であった。この司祭根性の中に、自負の中に、この精神性の中に彼の自我はしのびこんで、そこにしっかりと根をおろし、のびていった。その間、彼は断食と苦行によって自我を殺そうと考えていた。今にして彼はそれを知った。いかなる師も自分を救いえなかったという、隠れた声の正しかったことを、彼は知った。だからこそ彼は俗世へ入って行かねばならなかった。享楽《きょうらく》と権勢、女と金にふけらねばならなかった。彼の内の司祭と沙門が死ぬまで、商人となり、ばくち打ちとなり、酒飲みとなり、欲張りにならねばならなかった。だからこそ彼はなおもこの醜悪な年月に耐え、嘔吐感に耐え、すさんだ堕落した生活の空虚さと無意味さに耐えねばならなかった。どたんばに達するまで、にがい絶望に達するまで、放蕩児シッダールタも、欲張りシッダールタも死ぬまで。――彼は死んだ。新しいシッダールタが眠りから目ざめた。彼も老いゆくだろう。いつかは死なねばならぬだろう。シッダールタははかなかった。すべての形ははかなかった。しかし、きょう彼は若かった。子どもだった。若いシッダールタだった。喜びに満ちていた。

こんなふうに考え、微笑しながら自分の胃に耳を澄まし、感謝の念をもってミツバチのつぶやきに聞き入った。流れる川を朗らかに見つめた。水がこれほど快く思われたことはなかった。移り行く水の声と比喩《ひゆ》をこれほど強く美しく聞いたことはかつてなかった。川は何か特別なことを、彼のまだ知らない何かを、まだ彼を待っている何かを、彼に語っているように思われた。この川でシッダールタはおぼれ死のうと思った。その中で古い疲れた絶望したシッダールタはきょうおぼれ死んだ。新しいシッダールタはこの流れる水に深い愛を感じ、すぐにはここを離れまいと、心ひそかにきめた。

渡し守

この川のほとりにとどまろう、とシッダールタは考えた。これはかつて自分が小児人たちのところへ行く途中渡った川である。親切な渡し守があのとき自分を渡してくれた。彼のところへ行こう。かつて、彼の小屋から自分の道は新しい生活へ自分をみちびいた。その生活は今は古くなり、死んだ。——自分の今度の道も、今度の新しい生活も渡し守の小屋から発足するように！

愛情こめて彼は、流れる水を、透明な緑を、水の神秘な模様の透きとおった線を見つめた。底の方から光る玉があがって来、静かなあわが水面に浮び、青空を映しているのが見えた。川は無数の目で、緑色の目で、白い目で、透明な目で、空色の目で彼を見た。どんなに彼はこの水を愛したことだろう！　この水はどんなに彼をうっとりさせたことだろう！　どんなに彼は水に感謝したことだろう！　川の中に新しく目ざめた声が聞えた。その声は彼に、この水を愛せよ！　この水のそばにとどまれ！　この水から学べ！　と言っていた。ああそうだ、この水から学ぼう、この水に耳を傾けよう、と彼は思った。この水とその秘密を理解するものは、多くのほかのことをも、多くの秘密を、いっさいの秘密をも理解するだろう、と思われた。

しかし、きょう彼は川の秘密のうちただ一つだけを見た。それを彼の魂はとらえた。彼は見た。この水は流れ流れ、絶えず流れて、しかも常にそこに存在し、常にあり、終始同一であり、しかも瞬間瞬間に新たであった！　ああ、これをとらえ、理解するものがあったら！　彼はそれを理解し、とらえはしなかった。ほのかな感じ、はるかな記憶、神々《こうごう》しい声が動くのを感じるばかりだった。

シッダールタは立ちあがった。腹中の飢餓の動きは耐えがたくなった。夢中になって彼はさきへ歩いた。岸べの小みちにそって、川上へ。流れに耳を澄まし、腹中のうなる飢餓に耳を澄ました。

渡し場に着くと、ちょうど小ぶねの用意ができていた。かつて若い沙門《しゃもん》を渡したあの渡し守が小ぶねの中に立っていた。シッダールタはあの人だと見わけがついた。渡し守もいたく年老いていた。

「渡してくださるか」と彼はたずねた。

渡し守は、このように上品な人がひとりで徒歩で旅しているのを見て驚きながら、小ぶねに乗せ、舟を出した。

「おん身はいい生活を選んだものだ」と客は言った。「毎日この水のほとりで暮し、この上を渡るのは、楽しいにちがいない」

微笑しながら漕《こ》ぎ手はからだを動かした。

「いかにも楽しい。おん身の言うとおりだ。だが、どんな生活でも、どんな仕事でも楽しいのではないかしら？」

「そうかもしれない。だが、おん身の仕事はうらやましい」

「ああ、おん身はこんな仕事に対する興味をすぐ失ってしまうだろう。これは上品な着物を着た人なんかのする仕事ではない」

シッダールタは笑った。「きょう私はさっきもう着物のためにじろじろ見られた。疑いの目で見られた。渡し守よ、私にはわずらわしいこの着物を受け取ってもらえまいか。私はおん身に渡し賃を払うだけの金を持たないことを承知してもらわねばならないのだから」

「冗談をおっしゃる」と渡し守は笑った。

「冗談ではない。おん身は前に一度おん身の小ぶねで私をただでこの川の向うへ渡してくれた。きょうもそうしてもらいたい。そのかわり私の着物を受け取ってほしい」

「それでおん身は着物なしで旅を続けようとなさるのか」

「ああ、できることなら旅を続けたくない。できることなら、渡し守よ、私に古い布を与え、おん身の助手としてそばにおいてほしい。いや、むしろ弟子としておいてほしい。まず私は小ぶねをあやつることを習わねばならないのだから」

渡し守は長いことさぐるように旅びとを見つめていた。

「やっとおん身がだれだかわかった」と彼はしまいに言った。「昔おん身は私の小屋で眠ったことがある。もうずっと前のことだ。二十年以上前のことかもしれない。私が川を渡してあげた。親しい友だちのように互いに別れを告げた。おん身は沙門ではなかったか。名まえはもう思い出せない」

「私はシッダールタと言う。このまえ会ったとき、私は沙門だった」

「それはよく来られた、シッダールタ。私はヴァズデーヴァと言う。おん身はきょうも私の客となり、私の小屋で眠ってほしい。そして、どこから来たのか、なぜ美しい着物がそんなにわずらわしいのか、話して聞かせてほしい」

ふたりは川のまん中に達した。ヴァズデーヴァは流れにさからって対岸に着くために、いっそうがんばってかいを漕いだ。小ぶねのへさきを注視しながら、たくましい腕で落ち着いて漕いだ。シッダールタはすわってながめていた。すでにあの昔、自分が沙門だった時代の最後の日、この人に対する愛情が心に動いたのを思い出した。彼はありがたくヴァズデーヴァの招きを受け入れた。岸に着くと、彼は小ぶねをくいにつなぐのを手伝った。それから渡し守は彼を小屋の中に招じ入れ、パンと水をすすめた。シッダールタは喜んで食べた。ヴァズデーヴァのすすめるマンゴーの実も喜んで食べた。

そのあと、ふたりは岸べの木の幹に腰をおろした。日没に近づいていた。シッダールタは渡し守に自分の素姓と生活を、きょう絶望したあのとき眼前に見たままに語った。深夜まで彼の話は続いた。

ヴァズデーヴァは注意深く耳を傾けた。素姓と幼年時代、いっさいの学習、いっさいの探究、あらゆる喜びと苦しみ、すべてを傾聴し、心にとり入れた。これはこの渡し守の美徳の中で最大の美徳の一つだった。つまり彼は傾聴することを心得ている点でたぐいまれであった。ヴァズデーヴァは一言も発しなかったけれど、話者は、相手が自分のことばを静かに胸を開いて待ちつつ摂取してくれるのを、一言も聞きもらさず、一言もせっかちに待ち受けることをせず、賛辞も非難もならべず、ただ傾聴するのを感じた。そういう傾聴者に告白するのは、そういう相手の心の中に自分の生涯《しょうがい》を、探究を、苦悩を沈めるのは、どんな幸福であるかを、シッダールタは感じた。

シッダールタが物語の終り近くなって、川べの木について、深い絶望について、神聖なオームについて、また眠りからさめて川に対し強い愛を感じるようになったことについて話すと、渡し守は注意を倍加させて、目を閉じ、全心身を打ちこんで傾聴した。

しかしシッダールタが口をつぐみ、長い静かな時間がたつと、ヴァズデーヴァは言った。「私の考えたとおりだ。川がおん身に対して語ったのだ。おん身にとっても川は友だちなのだ。おん身に対しても川は語る。それはよい。大いによい。シッダールタよ、私の友よ、私のもとにとどまれ。かつては私には妻があった。妻の寝床が私の寝床のそばにあった。が、妻はもうずっと前に死んだ。私は久しくひとりで生きてきた。これからはおん身が私とともに暮すがいい。ふたり分の場所と食物はある」

「ありがとう」とシッダールタは言った。「ありがたく、ご好意を受け入れよう。ヴァズデーヴァよ、おん身が私の話をよく聞いてくれたことに対しても、私は感謝する。傾聴することを心得ている人はまれだ。おん身のようにそれを心得ている人に会ったことがない。この点でも私はおん身から学ぶだろう」

「おん身はそれを学ぶだろう」とヴァズデーヴァは言った。「だが、私からではない。傾聴することを川が私に教えてくれた。おん身もそれを川から学ぶだろう。川はなんでも知っている。人は川からなんでも学ぶことができる。そのとおり、おん身もすでに水から、下に向って努力するのは、沈むのは、深きを求めるのは、よいことを学んだ。富める貴人シッダールタは一介の舟子となる。博学なバラモン・シッダールタは渡し守となる。それも川から告げられたことだ。ほかのことも川から学ぶだろう」

長い間をおいてシッダールタは言った。「ヴァズデーヴァよ、どういうほかのことを？」

ヴァズデーヴァは立ちあがって言った。「おそくなった。寝るとしよう。そのほかのことについては、口では言えない、友よ。おん身はそれを学ぶだろう。もう知っているかもしれない。見るがよい、私は学者ではない。話すことを心得ず、考えることも心得ない。私はただ傾聴すること、邪心を持たぬことを心得ているだけだ。そのほかには何も学ばなかった。それを言い教えることができたら、おそらく賢者であろうが、私は渡し守にすぎない。私のつとめは人を川の向うに渡すことだ。多くの人を、数千人を渡した。彼らにとって私の川は旅の途中の障害にすぎなかった。彼らは金と仕事に向って、また婚礼へ、巡礼へと旅した。川が彼らのじゃまになった。渡し守は速《すみ》やかに彼らを障害のかなたに運ぶためにいた。だが、数千人のうちの数人、四人か五人の少数のものにとっては、川は障害であることをやめた。彼らは川の声を聞いた。川に耳を傾けた。川は、私にとって神聖となったように、彼らにとって神聖となった。さあ、寝るとしよう、シッダールタよ」

シッダールタは渡し守のもとにとどまり、舟をあやつることを学んだ。渡し場に用のないときは、彼はヴァズデーヴァとともに稲田で働き、たきぎを集め、バナナを摘んだ。かいを作ることを、小ぶねを修理することを、かごを編むことを学んだ。そして学んだことのすべてを喜んだ。日月ははやく過ぎ去った。ヴァズデーヴァが彼に教えることができた以上に、川が彼に教えた。彼は川から絶えず学んだ。何よりも川から傾聴することを学んだ。静かな心で、開かれた待つ魂で、執着を持たず、願いを持たず、判断を持たず、意見を持たず聞き入ることを学んだ。

打ちとけてヴァズデーヴァのかたわらで暮した。時折りふたりはことばを、長いあいだ考えたわずかなことばを交わした。ヴァズデーヴァはことばを好む人ではなかった。彼をうまく動かして話させることができることはまれだった。

「おん身も」とシッダールタはあるとき彼にたずねた。「おん身も川から、時間は存在しないという秘密を学んだか」

ヴァズデーヴァの顔は明るい微笑に包まれた。

「たしかに、シッダールタよ」と彼は言った。「おん身の言おうとすることはこうだ。川は至る所において、源泉において、河口において、滝において、渡し場において、早瀬において、海において、山において、至る所において同時に存在する。川にとっては現在だけが存在する。過去という影も、未来という影も存在しない」

「そうだ」とシッダールタは言った。「それを学び知ったとき、私は自分の生活をながめた。すると、これも川であった。少年シッダールタは、壮年シッダールタと老年シッダールタから、現実的なものによってではなく、影によって隔てられているにすぎなかった。シッダールタの前世も過去ではなかった。彼の死と、梵《ぼん》への復帰も未来ではなかった。何物も存在しなかった。何物も存在しないだろう。すべては存在する。すべては本質と現在を持っている」

シッダールタは狂喜して語った。この悟りが彼を深く幸福にした。ああ、すべての苦しみは時間ではなかったか。みずからを苦しめることも、恐れることもすべて時間ではなかったか。時間を克服し、時間を考えないようになることができたら、この世のいっさいの困難と敵は除かれ克服されはしなかったか。彼は狂喜して語った。ヴァズデーヴァはしかし顔を輝かせて彼にほほえみかけ、そのとおりだ、とうなずいた。無言でうなずき、シッダールタの肩をなで、仕事にもどった。

それからまたあるとき、川がちょうど雨期で増水し、はげしい音を立てて流れていたとき、シッダールタは言った。「友よ、川はたくさんの声を、非常にたくさんの声を持っていはしないか。王者の声を、戦士の声を、雄牛の声を、夜の鳥の声を、産婦の声を、嘆息する男の声を、なおそのほか無数の声を持っていはしないか」

「そのとおりだ」とヴァズデーヴァはうなずいた。「生きとし生けるもののすべての声が川の声の中にある」

「そしておん身は知っているのか」とシッダールタは言い続けた。「川の千、万の声を全部同時に聞くことができるとしたら、どんなことばを川は語っているのか」

幸福そうにヴァズデーヴァの顔は笑った。彼はシッダールタの方に身をかがめて、神聖なオームをその耳にささやいた。シッダールタが聞いたのもまさしくそれだった。

だんだん彼の微笑は渡し守の微笑に似てきた。ほとんど同じように晴れやかに、ほとんど同じように幸福に満ち輝き、同様に無数の小さいしわから光を放ち、同様に子どもらしく、同様に老人らしくなった。多くの旅びとは、ふたりの渡し守を見ると、兄弟だと思った。しばしばふたりは夕方いっしょに岸べの木の幹にこしかけ、無言で水に耳を傾けた。水はふたりにとって水ではなく、生命の声、存在するものの声、永遠に生成するものの声だった。川の音を聞いていると、ふたりは同じこと、たとえば一昨日の対話のこと、その顔と運命との忘れられない旅びとのひとりのこと、死のこと、幼年時代のことを考えているということが、時折り起った。川が彼らに何かよいことを語ると、同時にふたりは、全く同じことを考え、同じ問いに対する同じ答えに幸福感をおぼえて、互いに顔を見合うということが、時折り起った。

この渡し場とふたりの渡し守から何かあるものが発した。旅びとの中にそれを感じるものが少なくなかった。ときには、ある旅びとが渡し守のひとりの顔を見つめた後、自分の生活を語り始め、悩みを語り、悪を告白し、慰めと助言を求めるということが起った。ときには、ある人が川に耳を傾けるため、一夜彼らのもとにとどまる許しを請うということが起った。好奇心の強い人々が、この渡し場にはふたりの賢者、あるいは魔法使い、あるいは聖者が暮しているという話を聞いて、やって来るということもあった。好奇心の強い人々はいろいろな質問をしたが、答えは得られなかった。彼らが見いだしたのは、魔法使いでも賢者でもなく、ふたりの好人物の老人、無口で、いくらか風変りで、ぼけているらしい小さな男たちにすぎなかった。好奇心の強い人々は笑って、世間の人はなんと愚かしく軽率にこういう空虚なうわさをひろめるものだろう、と語り合った。

歳月は過ぎ去った。ふたりのどちらもそれを数えなかった。あるとき、ゴータマ仏陀《ぶっだ》の信者である僧たちが遍歴して来、川を渡してほしいとたのんだ。ふたりの渡し守は、覚者《かくしゃ》の病があつく、まもなく人間としての最期《さいご》の死を死に、涅槃《ねはん》に入られるだろうという知らせがひろまったので、僧たちは大急ぎで偉大な師のもとへ帰って行くのだ、と聞いた。まもなく僧の新しい一団が遍歴して来た。それからまた新しい一団が来た。僧たちもほかの旅びとや遍歴者たちの大部分も、ゴータマと近づいている死のことしか話さなかった。出征や王の戴冠式《たいかんしき》に向って至る所からあらゆる方面から人々が流れより、アリのごとく群れをなして集まるように、彼らは魔力に引き寄せられたように、偉大な仏陀が死を待ちうけているところへ、異常なことが起り、宇宙の偉大な完成者が大往生をとげられるはずのところへ押し寄せて行った。

シッダールタはそのとき、死に臨んでいる賢者、偉大な師をしきりに思い出した。あの人の声は衆生《しゅじょう》をいましめ、幾十万の人々をよびさました。彼もかつてあの人の声を聞き、あの人の神聖な顔をおそれ敬う心をもって見たことがあった。彼はなつかしく仏陀をしのび、その正覚成道《しょうがくじょうどう》のあとを眼前に浮べた。彼がかつて若い男として覚者に向けたことばを思い出して微笑した。それは思いあがった小ざかしいことばだったと思われた。微笑しながら彼はそのことばを思い出した。ずっと前から彼は自分がゴータマから離れていないことを知っていた。だが、その教えを受け入れることはできなかった。否《いな》、真の探究者は、真に発見せんと欲するものは、いかなる教えも受け入れることはできなかった。しかし、発見したものは、あらゆる教えを、あらゆる道を、あらゆる目標を是認することができた。そういう人を、永遠の中に生き、神聖を呼吸する無数の他の人々から、隔てるものは何もなかった。

死なんとする仏陀のもとへそのころ多くの人々が旅して行ったが、ある日、かつては遊女の中の随一の美女だったカマーラも仏陀のもとへこころざした。久しい前から彼女は従前の生活から退き、自分の庭園をゴータマの僧たちに贈り、その教えに避難所を求め、巡礼者たちの友、保護者のひとりになっていた。ゴータマの死が近いという知らせに、彼女は一子シッダールタ少年を伴って、質素な身なりで徒歩で出発した。小さい男の子を連れて川のほとりにたどりついた。少年はしかしすぐ疲れて、うちへ帰りたがり、休みたがり、食べ物をほしがり、言うことをきかず、泣き出しそうになった。カマーラはたびたびいっしょに休まねばならなかった。むすこは母に対してわがままを通す癖がついていたので、母は彼に食べ物を与えたり、なぐさめたり、しかったりせねばならなかった。むすこには、なぜ母といっしょに、知らない土地へ、神聖な人、死にかかっているよその人のところへ、こんな骨の折れる悲しい遍歴をしなければならないのか、わからなかった。そんな人が死んだところで、それがこの少年に何のかかわりがあったろう？

彼らがヴァズデーヴァの渡しからほど遠からぬところに来たとき、小さいシッダールタはまた母に休息をせがんだ。カマーラ自身も疲れていた。少年がバナナを食べている間に、彼女は地面にうずくまって、少し目を閉じて休んだが、突然悲鳴をあげた。少年はびっくりして母を見た。母の顔は恐怖にあおざめていた。母の着物の下から小さい黒いヘビが逃げ出した。それがカマーラをかんだのだった。

急いでふたりは、ひとの助けを求めるため走った。そして渡し場の近くに来た。そこでカマーラはばったり倒れて、もはや歩き続けることができなくなった。少年は悲鳴をあげ続け、その間に母に口づけし、母を抱いた。母も、助けを求める彼の大声に声を合わせた。やがてそのひびきは、渡し場に立っていたヴァズデーヴァの耳にとどいた。彼はすばやくやって来て、女を腕にかかえ、小ぶねに運びこんだ。少年もいっしょに走って来た。まもなく三人は小屋にたどりついた。小屋ではシッダールタがかまどのそばに立って、火をおこしているところだった。彼は目をあげてまず少年の顔を見た。それは彼に不思議な思い出をそそり、忘れていたことを思い出させた。それからカマーラを見た。気を失って渡し守の腕に抱かれてはいたが、カマーラだということはすぐわかった。顔を見て彼をどきっとさせたのが自分のむすこだということも、わかった。胸の中で彼の心は波打った。

カマーラの傷は洗われたが、もう黒くなっており、からだはふくれていた。水薬が口に注がれた。彼女は意識を回復して、小屋の中のシッダールタの寝床に横たわっていた。かつて彼女をあんなに深く愛していたシッダールタが、彼女の上にかがみこんでいた。彼女には夢のように思われた。彼女は微笑しながら友の顔を見つめた。ようやく徐々に彼女は自分がどういう状況にいるかを知り、ヘビにかまれたことを思い出し、不安げにむすこを呼んだ。

「子どもはそばにいるよ、心配しなくてもいい」とシッダールタは言った。

カマーラは彼の目をのぞきこんだ。毒のためにしびれた重い舌で彼女は話した。「あなたは年をとりましたね」と彼女は言った。「白髪《しらが》になりましたね。でも、昔着物も着ず、ほこりだらけの足で私の庭にはいって来た若い沙門《しゃもん》そっくりですわ。あなたは、私とカーマスワーミから離れて行ったあのときより若い沙門にずっとよく似ていますよ。目が若い沙門に似ています、シッダールタよ。ああ、私も年をとりました。――それでも私だということがわかりましたか」

シッダールタは微笑した。「すぐにわかったよ、いとしいカマーラよ」

カマーラは男の子をさして言った。「あの子もごぞんじですか。あなたの子ですよ」

彼女の目は視線が乱れて、ばったり閉じた。少年は泣いた。シッダールタは少年をひざに抱いて、泣くにまかせ、髪をなでてやった。子どもの顔を見ると、昔自分が小さい少年だったころおぼえたバラモンの祈りを思い出した。ゆっくり歌うような声でそれを唱え始めた。過去と幼年時代からことばが流れてきた。歌のような文句を聞いているうちに、子どもは静かになって、まだ時々すすり泣きはしたが、眠りこんだ。シッダールタは子どもをヴァズデーヴァの寝床に寝かせた。ヴァズデーヴァはかまどのそばに立って、米を煮ていた。シッダールタが彼をちらっと見ると、彼も微笑してそれにこたえた。

「彼女は死ぬだろう」とシッダールタは小声で言った。

ヴァズデーヴァはうなずいた。そのやさしい顔にかまどの火の光が流れた。

もう一度カマーラは意識をとりもどした。苦痛が彼女の顔をゆがめた。シッダールタの目は、彼女の口に、あおざめたほおに、苦悩を読みとった。静かに、注意深く、待ちながら、彼女の苦悩にひたりながら、苦悩を読んだ。カマーラはそれを感じた。彼女のまなざしは彼の目を求めた。

彼を見つめながら彼女は言った。「今わかりましたが、あなたの目も変りました。全く変りました。それでもあなたがシッダールタだということが、何でわかるのかしら？　あなたはシッダールタです。そしてそうではありません」

シッダールタは黙っていた。彼の目はじっと彼女の目をのぞきこんでいた。

「あなたは願いをかなえましたね？」と彼女はきいた。「平和を見いだしましたね？」

彼は微笑して、手を彼女の手の上にのせた。

「わかります」と彼女は言った。「わかります。わかります。私も平和を見いだすでしょう」

「お前は平和を見いだしたのだよ」とシッダールタはささやいた。

カマーラはじいっと彼の目を見つめた。彼女は、完成された人の顔を見るために、その平和を呼吸するために、ゴータマのもとへ旅して行こうと欲したことを、そしてゴータマのかわりにシッダールタを見いだしたことを、それもよかった、仏陀を見たと同じようによかったことを、考えた。彼女はそれを彼に言いたかったが、舌がもう彼女の意志に従わなかった。無言で彼女は彼の顔を見た。彼は彼女の目の中に生命が消えていくのをみとめた。最期の苦痛が彼女の目を満たし、かすませたとき、最期の身震いが彼女の全身に走ったとき、彼の指がまぶたを閉じてやった。

彼は長い間すわったまま、永遠の眠りについた彼女の顔を見つめた。長い間、彼女の口を、くちびるの細くなった老い疲れた口を、しげしげと見た。そして、昔、人生の春のころ彼はこの口をもぎたてのイチジクに比べたことを思い出した。長い間すわったまま彼はあおざめた顔を、疲れたしわを読んでいると、そのおもかげで心がいっぱいになった。そして自分の顔が同様にそこに横たわっているのが、同様に白く、同様にあせはてているのが見えた。同時に若く赤いくちびると燃える目をしている自分の顔と彼女の顔が見えた。現在と過去も未来も同時だという感情、永遠の感情が彼の中に満ちあふれた。深く、いつよりも深く、彼はこのとき、あらゆる生命の不壊《ふえ》不滅と、あらゆる瞬間の永遠性を感じた。

立ちあがると、ヴァズデーヴァが彼のためにご飯を用意していた。しかしシッダールタは食べなかった。ヤギのいる小屋にふたりの老人は敷きわらの床をこしらえた。ヴァズデーヴァは横になって眠った。シッダールタはしかし外に出て、夜もすがら小屋の前にすわっていた。川に耳を澄ましながら、過去にあらわれ、生涯《しょうがい》のあらゆる時間に同時に動かされ、囲まれて。だが、時折り立ちあがって、小屋の戸口に歩み寄り、子どもが眠っているかどうか、耳を澄ました。

翌朝早く、まだ太陽が現われないうちに、ヴァズデーヴァはヤギ小屋から出て来て、友のそばに歩み寄った。

「おん身は眠らなかったな」と彼は言った。

「そうだ、ヴァズデーヴァよ。私はここにすわって、川に耳を澄ましていた。川は多くのことを語ってくれた。川はありがたい思想で、統一の思想で深く私を満たしてくれた」

「おん身は悩みを経験した、シッダールタよ。だが、察するに、おん身の心に悲しみは入りこまなかった」

「そうだ、どうして私は悲しむいわれがあろう？　豊かで幸福だった私は、今なおいっそう豊かに幸福になった。私は子どもを授かったのだ」

「私もおん身の子どもを喜んで迎える。だが、シッダールタよ、さあ仕事にとりかかろう。することはたくさんある。昔私の妻の死んだ寝床でカマーラは死んだ。昔私の妻を焼くたきぎを積んだ丘に、カマーラを焼くたきぎを積もう」

子どもがまだ眠っている間に、ふたりはたきぎを積んだ。

むすこ

おずおずして泣きながら、子どもは母のとむらいにつらなった。シッダールタがわが子と呼び、ヴァズデーヴァの小屋に喜んで引き取ると言ったときも、少年は陰気におずおずして聞いていた。彼は幾日も死んだ母の塚にすわって、食物をとらず、目と心をとざして、運命にさからい、はむかった。

シッダールタは彼をいたわり、そのなすにまかせ、子どもの悲しみを尊重した。むすこが自分を知らず、父のように愛しえないのを理解した。徐々に彼はまた、十一歳の子が甘やかされた少年で、母親っ子であること、ぜいたくな習慣のうちに育ち、上等な食物と柔らかい寝床に慣れ、召使たちに命令することに慣れていることを、知り、理解した。悲しんでいるもの、甘やかされたものが、急に進んで異境と貧乏の中で満足しうるわけのないことを、シッダールタは理解した。彼は子どもを強《し》いず、子どものためにいろいろと働いてやり、いつもいちばんいい食べ物をえらんでやった。徐々にやさしい忍耐で子どもの心を得ようと思った。

少年がやって来たとき、シッダールタは自分を豊かな幸福なものと呼んだ。しかし時がたっても、少年は依然として親しまず陰気な顔をしており、高慢な反抗的な心を示し、仕事をすることを欲せず、老人に畏敬《いけい》の念を示さず、ヴァズデーヴァの果実を盗んだので、むすこは幸福と平和でなく、悩みと心配を持って来たことを、シッダールタは理解し始めた。しかし彼は子どもを愛した。子どものいない幸福と喜びより、愛の悩みと心配のほうが好ましかった。

少年シッダールタが小屋に住むようになってから、ふたりの老人は仕事を分けた。ヴァズデーヴァは渡し守の役目をまたひとりで引き受け、シッダールタは、むすこのそばにいるため、小屋と畑の仕事を引き受けた。

時間をかけて、幾月もシッダールタは、むすこが自分を理解し、自分の愛を受け入れ、おそらく自分の愛にこたえてくれるのを待った。幾月もヴァズデーヴァはわきからながめながら待った。待って沈黙を守った。ある日、少年シッダールタがまた父を強情とむら気でひどく悩まし、茶わんを二つこわすと、ヴァズデーヴァは夕方友をわきへ連れて行って、話した。

「悪く思わないでくれ」と彼は言った。「親切心からおん身に話すのだ。おん身が悩み、悲しみを抱いているのがわかる。おん身のむすこはおん身に心配を与えている。彼は私にも心配を与えている。あの若い小鳥は別な生活、別な寝ぐらに慣れている。おん身のように、たまらなくいやになり、飽き飽きして、ぜいたくと町をのがれて来たのではない。心ならずもそういういっさいを残して来なければならなかったのだ。おお、友よ、私は川にたずねた。たびたび川にたずねた。ところが、川は笑うのだ。私を笑い、おん身を笑うのだ。そしてわれわれの愚かさにからだを揺すぶっている。水は水に、若さは若さに赴かんとする。おん身のむすこはすくすくと伸びうる所にいないのだ。おん身も川にたずねてみよ。川にきいてみよ！」

憂《うれ》わしげにシッダールタは友の親切な顔を見た。たくさんのしわの中には、いつも変らぬ朗らかさが宿っていた。

「では私は彼から離れられるだろうか」。彼は小声で恥ずかしそうに言った。「私になお時を与えよ！　私は彼を得るために戦っている。彼の心を得ようとしている。愛とやさしい忍耐をもって私は彼の心をとらえようと思う。いつかは彼に向っても川が語るように、私はしてみせる。彼も召されているのだ」

ヴァズデーヴァの微笑は一段とあたたかく輝いた。「ああそうだ。彼も召されている。彼も永遠の生命を持っている。だが、われわれは、おん身と私は、何をなすべく召されているのか、いかなる道へ、いかなる行為へ、いかなる悩みへ召されているのか、はたして知っているだろうか。彼の悩みは小さくないだろう。彼の心は高慢でかたくなだ。ああいう人間はしきりに悩み、しきりに迷い、しきりに不正をなし、しきりに罪を背負いこまねばならない。友よ、言ってみよ。おん身は子どもを教育していないか。子どもを強《し》いていないか。子どもを打っていないか。罰していないか」

「いや、ヴァズデーヴァよ、私はそんなことはいっさいしない」

「それは知っていた。柔は剛より強く、水は岩より強く、愛は力より強いことを、おん身は知っているがゆえに、おん身は彼を強いず、打たず、命令しないのだ。大いによろしい。おん身をほめよう。だが、おん身が子どもを強いていない、罰していない、と考えるのは、誤りではないか。おん身の愛によって彼を縛っていはしないか。おん身は彼に毎日恥ずかしい思いをさせてはいないか。おん身の親切と忍耐によって彼をいっそう苦しめていはしないか。あの高慢で甘やかされた少年を強いて、バナナで命をつなぎ、米でさえ、もうごちそうとしているような、ふたりの老人といっしょに小屋で暮させていはしないか。老人たちの考えは彼の考えではありえず、老人たちの心は静かで、彼の心とは動き方がちがうのだ。彼はそういうことで強いられ、罰せられているのではないか」

はっとしてシッダールタは地面を見た。小声で彼はたずねた。「どうしたらよいと、おん身は思うか」

ヴァズデーヴァは言った。「子どもを町へ連れて行け。母の家へ連れて行け。召使たちがまだそこにいるだろう。彼らに引き渡すがよい。召使たちがひとりもいなかったら、教師のところへ連れて行け。教えを受けさすためではなく、ほかの少年や少女たちといっしょにするためだ。彼の世界である世間へ連れて行け。おん身はそれを考えたことはないか」

「おん身は私の心を見抜いている」とシッダールタは悲しげに言った。「私はたびたびそれを考えた。だが、それでなくても穏やかな心を持っていない彼を、どうして世間に引き渡していいだろう？　彼はぜいたくにならないだろうか。快楽と権力におぼれはしないだろうか。父のあやまちをことごとくくり返しはしないだろうか。輪廻《りんね》の中にすっかり巻きこまれてしまいはしないだろうか」

渡し守の微笑が明るく輝いた。彼はやさしくシッダールタの腕にさわって言った。

「それを川にきいてみるがよい、友よ！　川がそれを笑っているのを聞くがよい！　おん身は、自分が愚かな行為を犯したのは、むすこにそれをさせないためだ、とほんとうに思っているのか。いったい輪廻に対してむすこを守ることができるのか。いったいどうして？　教えによってか、祈りによってか、戒めによってか。あの話を、おん身がいつかここでこの場所で私に話してきかせた、バラモンのむすこシッダールタの、あの教訓に富む話を、おん身はすっかり忘れてしまったのか。沙門シッダールタを輪廻に対し、罪に対し、強欲に対し、痴愚に対し守ったのは、だれであったか。彼の父の信仰が、父の教えの戒めが、彼自身の知識が、彼自身の求道が、彼を守ることができたか。みずからこの生活を生き、みずからを生活で汚《けが》し、みずから罪を背負いこみ、みずからにがいしるを飲み、みずから自分の道を見いだすことに対し、いかなる父が、いかなる師が彼を守りえたろうか。この道がだれかに免除される、とおん身は信じるか。おん身がむすこを愛するからといって、子どものために悩みと苦痛と失望を免除してやりたいと願うからといって、そうしてやれると思うか。たとえおん身が十度彼のために死んだとしても、それで彼の運命のいちばん小さい部分でさえ、取り除いてやることはできないだろう」

ヴァズデーヴァがそんなに多くのことばを口にしたことは、まだ一度もなかった。シッダールタはていねいにお礼を言い、憂わしげに小屋の中に入り、長い間まんじりともしなかった。ヴァズデーヴァが言ったことはみな彼自身がすでに考え、承知していたことだった。だが、それは彼に実行できない一つの知識にすぎなかった。子どもに対する彼の愛は、情愛は、子どもを失う不安は、その知識より強かった。いつか何かあるものに対し、彼はこれほど心を失ったことがあったろうか。いつかだれかある人をこれほど盲目的に、これほど苦しんで、これほど報われずに、しかもこれほど幸福に愛したことがあったろうか。

シッダールタは友の忠告に従うことができなかった。むすこを手放すことができなかった。彼は子どもに命令され、けいべつされた。彼はものを言わずに待った。日々好意の無言の戦いを、忍耐の無声の戦いを始めた。ヴァズデーヴァもものを言わずに待った。友情をもって、事情を心得ながら、気長に。この忍耐にかけては、二人は達人であった。

あるとき、少年の顔が強くカマーラを思い出させると、シッダールタは突然、カマーラが昔まだ若かったころ彼に言ったことばを思い出さずにはいられなかった。「あなたは愛することができません」と彼女は彼に言った。彼はそのとき彼女のことばを肯定し、自分を星に、小児人《しょうにじん》を落ちる葉にたとえた。しかし彼はそのことばの中に非難を感じた。実際彼はついぞほかの人に自分を失ってしまい、自分をささげきること、自分を忘れること、ほかの人のために愛ゆえにばかなまねをすることができなかった。ついぞそれができなかった。それこそ自分を小児人から隔てる大きな差別だと、当時彼は思った。今はしかし、むすこが現われてからは、彼シッダールタも全く小児人になってしまった。ひとりの人間のゆえに悩み、ひとりの人間を愛し、愛に夢中になり、愛ゆえに痴人となってしまった。今、晩年になって、生涯に一度、この最も強い最も不思議な情愛を感じ、それに悩んだ。哀切に悩んだ。だが、心から幸福であった。いくらか新しくなり、いくらか豊かさを増したようだった。

この愛、むすこに対する盲目的な愛は煩悩《ぼんのう》であり、きわめて人間的なものであること、それが輪廻であり、濁った泉であり、暗い水であることを、彼はよく感じてはいたが、同時に、それが無価値ではなく、必然的なものであり、自分自身の本質から出たことを感じていた。この欲望も満たされ、この苦痛も味わわれ、この痴愚も演じられることを欲した。

むすこは父をしてその痴愚を演じさせ、きげんをとらせ、日々自分のむら気に屈服させた。この父はむすこを狂喜させるものも、恐れさせるものも、何も持たなかった。彼は、この父は、よい人であった。よい、親切な、やさしい人であった。非常に信心深い人であったかもしれない。聖者であったかもしれない。――そういうことはすべて、少年の心をとらえうる性質ではなかった。彼をみじめな小屋にとらえておくこの父は、彼には退屈だった。退屈でたまらなかった。彼がどんな無作法をしても父が微笑をもってこたえること、彼がどんなにののしっても好意をもってこたえ、どんなに意地悪をしても親切をもってこたえること、それこそまさしくこの陰険な老人の憎むべき悪だくみだった。少年は父からおどされ、虐待《ぎゃくたい》されたほうがずっとよかった。

少年シッダールタの心が爆発して、公然と父に逆らう日が来た。父は彼に用事を言いつけた。しばを集めてくるように、命じたのだった。少年はしかし小屋から出て行かず、反抗的にむかっ腹を立てて立ったまま、ゆかを踏みならし、げんこつをかため、父の顔に憎悪《ぞうお》とけいべつをはげしく爆発させるようにわめきたてた。
「自分でしばを取ってくるがいいや！」と彼はあわを吹きながらどなった。「ぼくはお前のどれいじゃない。お前はぼくを打てないことを、ぼくは知っている。お前にはその勇気がないんだ。お前は信心と寛大で絶えずぼくを罰し、いじけさせようとしているんだ。ぼくをお前のようにしよう、そんなに信心深く、穏やかに、賢くしよう、とお前は思っているのだ！　だが、ぼくは、よく聞け、ぼくは、お前のようになるよりは、お前を苦しめるために、いっそ追いはぎや人殺しになり、地獄に行くんだ！　ぼくはお前を憎む。お前はぼくの父ではない。お前がたとえ十ぺんぼくの母の愛人だったとしても！」

怒りとうらみが、彼の体内で煮えくりかえり、無数の乱暴きわまる悪口雑言となって、父に向ってあわ立った。それから少年は外にかけ出し、やっと晩おそくなって帰って来た。

だが、翌朝彼はいなくなった。渡し守が渡し賃として受け取った銅貨や銀貨をしまっておいた、二色の繊維で編んだ小さいかごもなくなっていた。小ぶねもなくなっていた。それが対岸にあるのをシッダールタは発見した。少年は逃げ出したのだった。

「私はあの子のあとを追わねばならない」と、少年の昨日のあの悪口雑言以来、悲嘆に震えていたシッダールタは言った。「子どもがひとりで森を通り抜けることはできない。彼は死ぬだろう。川を渡るため、いかだを組まねばならない、ヴァズデーヴァよ」

「いかだを組もう」とヴァズデーヴァは言った。「子どもが乗り逃げした小ぶねを取りもどすためだ。子どもは逃がしてやらねばいけない。彼はもう子どもではない。なんとかやっていくことができる。彼は町へ行く道をさがしている。無理もない。それを忘れてはいけない。おん身が実行しそこなったことを、彼は実行するのだ。自分のことは自分でやっていくよ。自分の道を行くのだ。ああ、シッダールタよ、おん身は悩んでいる。だが、おん身の悩む苦痛を人は笑うことだろう。おん身自身やがて笑うことだろう」

シッダールタは答えなかった。彼はもうおのを手にして、いかだを竹で組み始めた。ヴァズデーヴァも手伝って草のなわで幹をしばり合せた。それからふたりは川を渡ったが、遠く流されて、対岸ぞいにいかだを引きあげた。

「なぜおん身はおのを持って来たのか」とシッダールタはたずねた。ヴァズデーヴァは言った。「われわれの小ぶねのかいがなくなっているかもしれないからだ」

シッダールタはしかし、友の考えていることを察していた。子どもは仕返しをし、追跡を妨げるために、かいを川に投げこむか、折ってしまっただろう、と彼は考えた。はたしてかいは小ぶねの中になかった。ヴァズデーヴァは小ぶねの底を指さし、微笑を浮べて友の顔を見た。「むすこがおん身に何を言おうとしているか、わからないかい？　むすこは追跡されることを欲していないのが、わからないかい？」しかし彼はそれをことばに出しては言わなかった。彼は新しいかいをけずる仕事にとりかかった。シッダールタはしかし、逃げたものをさがすために、別れを告げた。

森の中をもう長いこと歩いてから、さがしてもむだだろうという考えがわいてきた。少年はずっと先に行って、もう町に着いているか、またたとえまだ途中を歩いているとしても、追跡する彼に対し姿をくらますだろう、と彼は考えた。さらに考えていくと、自分はむすこのことを心配していない、むすこが死にもしなければ、森の中で危険におびやかされてもいないのを、心の底で知っていることもわかった。

彼は休まず走り続けた。もはやむすこを救うためではなく、ただひょっとしたらもう一度会えるかもしれないという願いから。――彼は町の手前まで走った。

町の近くで大通りにたどり着くと、彼は美しい遊園の入口に立ちどまった。かつてカマーラの持ちものであった庭園で、かごに乗っている彼女を初めて見たところだった。当時のことが彼の心によみがえった。自分が若く、ひげぼうぼうの裸の沙《しゃ》門《もん》として髪をほこりだらけにしてそこに立っている姿が、ふたたび目に見えた。長い間シッダールタはたたずんで、開いた門から庭の中を見ると、黄衣の僧たちが美しい木立ちの下を歩いているのが見えた。

物思いにふけり、さまざまなおもかげを見、自分の生涯《しょうがい》の歴史に耳を傾けながら、彼は長い間たたずんでいた。長い間たたずみ、僧たちの方を見ると、僧たちのかわりに、若いシッダールタが、若いカマーラが高い木の下を歩いているのが見えた。カマーラからごちそうになり、彼女の最初の口づけを受け、思いあがって見さげるようにバラモン時代を振り返り、得々と欲望を抱いて世俗の生活を始めたさまが、はっきりと目に見えた。カーマスワーミが、召使たちが、宴会が、ばくち打ちが、楽人が、カマーラのかごの小鳥が見えた。そのすべてが生き返り、輪廻を呼吸し、もう一度老い疲れ、もう一度嘔吐《おうと》感を感じ、もう一度自己を滅却したいという願いを感じ、もう一度聖語オームによってよみがえった。

庭園の門のそばに長い間たたずんでいると、自分をこの場所まで駆り立ててきた願いが愚かしかったこと、むすこを助けることはできないこと、むすこに執着してはならないことがわかった。逃げた子どもに対する愛を、傷のように深く心の中に感じた。同時に、この傷は、これをえぐるために、与えられたのではなく、花となり、光り輝かなければならないことを、彼は感じた。

この傷が今もってまだ花を開かず、まだ光り輝かないことは、彼を悲しませた。ここへ逃げたむすこのあとへ彼を引き寄せた願いの目標のかわりに、今そこにあるのは空虚だった。悲しく彼は腰をおろし、自分の心の中で何かが死ぬのを感じた。空虚を感じた。喜びや目標はもはや見えなかった。彼は沈みこんですわり、待った。この一事を、待つことを、忍耐を持つことを、耳を澄ますことを、彼は川べで学んだ。彼は往来のほこりの中にすわって耳を澄ました。自分の心が疲れ悲しく鼓動するのに耳を澄まし、一つの声を待った。幾時間も彼はうずくまって耳を澄ましながら待った。もはや何のおもかげも見えず、彼は空虚の中に沈んだ。道ひとつ見ずに、沈むにまかせた。傷がうずき出すと、彼は声もなくオームをとなえ、オームで心を満たした。庭の中の僧たちは彼を見た。彼が長時間うずくまり、その白髪にほこりを積らせていると、ひとりの僧がやって来て、二本のバナナを彼の前に置いた。老人はそれを見なかった。

こうして無感覚になった状態から、彼の肩に触れた手が彼をさまさせた。やさしくひかえめに触れた手がだれの手であるか、彼にはすぐわかった。彼は我にかえった。彼は立ちあがって、あとを追って来たヴァズデーヴァにあいさつした。ヴァズデーヴァの親切な顔を、微笑だけにあふれているような小さいしわを、朗らかな目を見ると、シッダールタも微笑した。バナナが前に置いてあるのを見ると、彼は拾いあげて、一本を渡し守に与え、もひとつを自分が食べた。それから彼は無言でヴァズデーヴァとともに森の中に引き返し、渡し場にもどった。きょうのできごとについては、どちらも口に出さなかった。どちらも少年の名を呼ばず、少年の脱走についても、傷についても、口に出さなかった。小屋に入ると、シッダールタはすぐ寝床に横になった。しばらくしてヴァズデーヴァが一わんのヤシの乳液を彼にすすめようと歩みよると、彼はもう眠っていた。

オーム

傷はなお長い間うずいた。むすこやむすめを連れた旅びとを、シッダールタはいくたりも対岸に渡してやらねばならなかった。そういう人を見るごとに、彼はうらやましくなって、「このようにたくさんの人が、幾千という人が、この上なく恵まれた幸福を持っている。——どうして自分は持たないのか。悪人でも、泥棒《どろぼう》、強盗でも、子どもを持ち、愛し愛されている。自分だけはそうでない」と考えた。いま彼はそんなに単純に、知性を持たずに考えた。それほど小児人に似てしまっていた。いま彼は前とはちがった目で人間を見るようになった。前ほど賢明に、見くだすようにでなく、もっとあたたかく、もっと強い関心と同情をもって見るようになった。普通の種類の旅びと、小児人、商人、軍人、女たちを舟で渡すときも、これらの人々が昔のように無縁には思われなかった。彼は彼らを理解した。理解して、思想や見識によってではなく、ひたすら本能や希望によって導かれている彼らの生活を共にした。そして自分を彼らと同様な人間と感じた。彼は完成に近づいており、最後の傷を忍ぶ身であったが、これらの小児人は自分の兄弟であり、彼らの虚栄や欲望やこっけいな所業も彼にとってはこっけいでなくなり、理解できるもの、愛するに値するもの、それどころか尊敬すべきものとなった。子どもに対する母の盲目な愛、ひとりむすこに対するうぬぼれた父の愚かな盲目な自慢、装飾や賛嘆する男の目を求める若い虚栄的な女の盲目な激しい努力、これらすべての本能や、子どもじみた所業、単純でばかげているが度はずれて強い、強く生き、強く自己を貫徹しようとする本能や欲望は、シッダールタにとって今はもはや子どもじみた所業ではなかった。そういうもののため人間が生きているのを、彼は見た。そういうもののため、はてしもないことをなし、旅に出、戦争をし、はてしもないことを悩み、はてしもないことを忍ぶのを見た。そのゆえに彼は彼らを愛することができた。彼らの煩悩のすべての中に、彼らの行為のすべての中に、彼は生命を、生きているものを、破壊しがたいものを、梵《ぼん》を見た。盲目な誠実さ、盲目な強さと粘りにかけて、それらの人々は愛するに値し、賛嘆するに値した。彼らには何ひとつ欠けていなかった。知者や思索家が彼らにまさっているのは、ただ一つの小さなこと、ただ一つのごくささいな小事、すなわち、いっさいの生命の統一の意識、意識された思想にすぎなかった。そしてシッダールタはおりおり、この知識や思想がはたしてそんなにはなはだしく高く評価するに値するかどうか、それも思索人の、思索小児人の児戯でないかどうか、疑いさえした。ほかのすべての点では、世俗の人間は賢者と同等であり、往々賢者よりはるかにすぐれていた。動物だってのっぴきならぬことを迷わず粘り強くすることにかけて、しばしば人間に立ちまさっているように見えることがあるように。

シッダールタの心の中で、いったい知恵は何であるか、自分の長い探究の目標は何であるか、ということについての認識と知識が、徐々に花を開き、熟していった。それは、あらゆる瞬間に、生活のさなかにおいて、統一の思想を考え、統一を感じ呼吸することができるという魂の用意、能力、秘術にほかならなかった。徐々にそれが彼の心の中で花を開き、ヴァズデーヴァの老いた童顔から反射した。すなわち、調和が、世界の永遠な完全さの認識が、微笑が、統一が。

しかし傷はなおうずいた。切実に苦しくシッダールタはむすこをしのび、愛情を心に養い、苦痛が自分をむしばむにまかせ、愛のあらゆる愚行を犯した。この炎はひとりでには消えなかった。

ある日、傷が激しくうずくと、シッダールタはわが子恋しさの念にかられて、川を渡り、舟をおりた。町へ行き、むすこをさがすつもりだった。川は穏やかに音も静かに流れていた。乾燥期だったのだ。が、川の声は奇妙にひびいた。その声は笑った。はっきりと笑った。川は笑った。老いた渡し守をからからと明らかにあざ笑った。シッダールタは立ちどまって、もっとよく聞こうと、水の上にかがんだ。静かに流れる水の中に自分の顔が映っているのを、彼は見た。映ったその顔の中には、記憶をそそる何かがあった。忘れられた何かがあった。考えてみると、この顔は、彼がかつて知り、愛し、恐れもした別な顔に似ていることがわかった。それはバラモンなる父の顔に似ていた。彼は昔、青年のころ、苦行者のところへ行かせてくれと父を強いたこと、父に別れを告げて、出かけ、二度と帰らなかったことを思い出した。今自分がむすこのために苦しんでいるように、父も彼のために同じ苦しみをしはしなかっただろうか。彼の父はとっくに、ひとりで、むすこに再会せずに死にはしなかったか。彼自身も同じ運命を待ち受けねばならないのではなかったか。このくり返しは、宿命的な輪廻《りんね》の中をかけめぐるのは、喜劇では、奇妙な愚かなことではなかったか。

川は笑った。たしかにそうだった。究極まで苦しみ抜かれ、解決されなかったことは、すべてふたたびやって来た。くり返し同じ悩みが苦しまれた。シッダールタはまた小ぶねに乗り、小屋にもどった。父をしのびながら、むすこをしのびながら、川に嘲笑《ちょうしょう》され、自分自身と戦い、絶望しそうになり、またそれに劣らず、自分と世界全体を大声でいっしょに笑いたい気持ちになって。ああ、まだ彼の傷は花を開かなかった。まだ彼の心は運命に逆らった。まだ彼の苦悩から朗らかさと勝利は輝かなかった。しかし彼は希望を感じた。小屋にもどると、彼は、ヴァズデーヴァの前に心を打ちあけ、彼にすべてを示そう、傾聴の名人である彼にいっさいを言おう、という打ちかちがたい願いを感じた。

ヴァズデーヴァは小屋の中にすわって、かごを編んでいた。彼はもはや渡し舟に乗らなかった。彼の目は弱くなり始めた。目だけでなく、腕も手も弱くなりだした。彼の顔の喜びと朗らかな好意だけは、変ることなくかぐわしかった。

シッダールタは高齢の老人のそばにすわり、ゆっくり話し始めた。彼らがついぞ話し合わなかったこと、つまり、あのとき町へ行ったことについて、傷のうずくことについて、幸福な父親たちを見てうらやましくなることについて、そういう願いの愚かさを自覚したことについて、だが、それとむなしく戦っていることについて、彼はいま話した。洗いざらい打ちあけ、なんでも言うことができた。いちばん苦痛なことも、残らず言われ、示された。洗いざらい話すことができた。彼は自分の傷を示し、きょう逃げ出したことも話した。町へ行くつもりで子どもらしい脱走者となり、川を渡ったこと、そしたら、川がどんなに笑ったか、それも話した。

彼が語りつぎ語りつぎ長々と話している間に、ヴァズデーヴァが静かな顔で耳を澄ましている間に、シッダールタはヴァズデーヴァのこの傾聴をいつよりも強く感じた。自分の苦痛や不安が相手の心に流れこむのを、自分の秘めた希望が流れこみ、向うからまたこちらに流れて来るのを感じた。この傾聴者に傷を示すのは、傷を川にひたし、冷やし、川と一つにするのと同じことだった。話し続け、告白しざんげし続けているうちに、シッダールタは、自分の話を傾聴しているのは、もはやヴァズデーヴァではない、人間ではない、身動きもせずに傾聴しているこの人は、木が雨を吸いこむように、自分のざんげを吸いこんでいる、身動きもせぬこの人は、川そのものであり、神そのものであり、永遠なものそのものである、といよいよ強く感じた。シッダールタは、自分と自分の傷を考えることをやめると、ヴァズデーヴァの本質が変ったという認識に心を奪われた。それを深く感じ、それに深く入りこむにつれ、万事これで正常で自然なのだ、ヴァズデーヴァはもう久しく、いやだいたい初めからすでにそうだったのだ、シッダールタ自身がそれを完全に認識しなかったのだ、いや、自分自身この人とそんなにちがってはいないのだ、ということが、いよいよ不思議でなくなり、いよいよはっきりわかった。彼は自分が今ヴァズデーヴァを、人々が神を見るように、見ているのを、しかしそれが永続しえないことを感じた。彼は心の中でヴァズデーヴァに別れを告げ始めた。その間にも彼は話し続けた。

彼が語り終えると、ヴァズデーヴァは、いくらか弱くなったやさしいまなざしを彼に向け、何も言わなかったけれど、無言のうちに、愛と朗らかさ、理解と知とを彼に向って輝かせた。彼はシッダールタの手を取り、岸べのいつもの場所へ連れて行き、いっしょに腰をおろし、川に向ってほほえみかけた。

「おん身は川の笑うのを聞いた」と彼は言った。「だが、おん身はすべてを聞いてはいない。耳を澄まして聞こう。もっと多くのことが聞えるだろう」

ふたりは耳を澄ました。川の多声の歌は穏やかにひびいた。シッダールタは水の中をのぞきこんだ。流れる水の中にさまざまの姿が現われた、彼の父が現われた、寂しく、子どもを悲しんでいる父が。——彼自身が現われた、寂しく、彼も遠く離れたむすこにあこがれのきずなで縛られて。——彼のむすこが現われた。彼も寂しく、若い願いの燃える軌道をむさぼり突進する少年として。めいめい目標をめざし、めいめい目標にとりつかれ、めいめい悩みながら。——川は悩みの声で歌った。慕いこがれるように歌った。慕いこがれるように目標に向って流れた。その声は訴えるようにひびいた。

「聞えるかい？」とヴァズデーヴァの無言のまなざしはたずねた。シッダールタはうなずいた。

「もっとよく聞け！」とヴァズデーヴァはささやいた。

シッダールタはもっとよく聞こうと努めた。父の姿、むすこの姿が流れ合った。カマーラの姿も現われて、溶けた。ゴーヴィンダの姿やほかのさまざまの姿も現われ、溶け合い、みんな川になった。みんな川として目標に向って進んだ。慕いこがれつつ、願い求めつつ悩みつつ。川の声はあこがれに満ちてひびき、燃える苦しみに、しずめがたい願いに満ちてひびいた。目標に向って川はひたむきに進んだ。川が急ぐのをシッダールタは見た。川は彼や彼の肉親や彼が会ったことのあるすべての人から成り立っていた。すべての波と水は急いだ。悩みながら、目標に向って、多くの目標に向って、滝に、湖に、早瀬に、海に向って。そしてすべての目標に到達した。どの目標にも新しい目標が続いて生じた。水は蒸気となって、空にあがり、雨となって、空から落ちた。泉となり、小川となり、川となり、新たに目標をめざし、新たに流れた。しかし、あこがれる声は変った。その声はなおも悩みに満ち、さぐりつつひびいたが、ほかの声が加わった。喜びの声と悩みの声、良い声と悪い声、笑う声と悲しむ声、百の声、千の声がひびいた。

シッダールタは耳を澄ました。彼は傾聴者になりきり、傾聴に没頭しきった。空虚になりきり、ひたすらに吸いこみながら。――彼は今や傾聴を究極まで学んだ。これまでに、もうたびたびそのすべてを、川の中のこれら多くの声を、彼は聞いたが、きょうはまた新しく聞えた。もう彼は多くの声を区別することができなかった。泣く声から楽しい声を、おとなの声から子どもの声を、区別することができなかった。それはみないっしょになった。あこがれの訴えと、知者の笑いとが、怒りの叫びと死にゆく人のうめき声とが、すべてが一つになった。すべてがもつれ合い、結びつき、千様にからみ合った。すべての声、すべての目標、すべてのあこがれ、すべての悩み、すべての快感、すべての善と悪、すべてがいっしょになったのが世界だった。すべてがいっしょになったのが現象の流れ、生命の音楽であった。シッダールタがこの川に、千の声のこの歌に注意深く耳を澄ますと、悩みにも笑いにも耳をかさず、魂を何らか一つの声に結びつけず、自我をその中に投入することなく、すべてを、全体を、統一を聞くと、千の声の大きな歌はただ一つのことば、すなわちオーム、すなわち完成から成り立っていた。

「聞えるかい？」とヴァズデーヴァのまなざしはまたたずねた。

ヴァズデーヴァの微笑は明るく輝いた。老いた顔のしわ全体の上に、微笑が輝くばかりにただよっていた。川の声全体の上にオームがただよっているように。友の顔を見つめると、その微笑が明るく輝いた。すると今はシッダールタの顔にも同じ微笑がぱっと輝いた。彼の傷が花を開き、彼の悩みが光を発し、彼の自我が統一の中に流れこんだ。

このときシッダールタは、運命と戦うことをやめ、悩むことをやめた。彼の顔には悟りの明朗さが花を開いた。いかなる意志ももはや逆らわない悟り、完成を知り、現象の流れ、生命の流れと一致した悟り、ともに悩み、ともに楽しみ、流れに身をゆだね、統一に帰属する悟りだった。

ヴァズデーヴァは岸べの席から立ちあがり、シッダールタの目を見、そこに悟りの明朗さが光を発しているのを見ると、いつもながら慎重にやさしく手でその肩に触れて言った。「私はこの時を待っていたのだ、友よ。その時が来たので、私は行かせてもらおう。長いあいだ私はこの時を待った。長いあいだ私は渡し守ヴァズデーヴァであった。もう十分だ。さらば、小屋よ、さらば、川よ、さらば、シッダールタよ！」

シッダールタは、別れを告げる人の前に深く頭《こうべ》をさげた。

「私は知っていた」と彼は小声で言った。「おん身は森の中へ入るのであろう？」

「私は森の中へ入る。統一の中へ入る」とヴァズデーヴァは光を放ちながら言った。光を放ちながら彼は去った。シッダールタは彼を見送った。深い喜びをもって、深い真剣さをもって彼は見送った。その歩みが平和に満ち、その頭が輝きに満ち、その姿が光に満ちているのを見た。

ゴーヴィンダ

あるときゴーヴィンダは休養期間中ほかの僧たちとともに、遊女カマーラがゴータマの弟子たちに贈った林園に滞在した。彼は老渡し守の話を耳にした。一日の行程ほど離れた川のほとりに住み、多くの人々から賢者だと思われている渡し守だった。ゴーヴィンダは旅を続けることになったとき、その渡し守に会いたいと念願して、渡し場への道を選んだ。彼は生涯《しょうがい》戒律に従って暮し、年下の僧たちからも、年齢と謙譲さのゆえにあがめられていはしたけれど、心の中では不安と模索が消えていなかったからである。

彼は川までやって来て、老人に川を渡してほしいとたのんだ。そして対岸で小ぶねからおりるとき、老人に向って言った。「おん身はわれわれ僧や巡礼に多くの好意を示し、これまですでにわれわれ仲間の多くを渡してくださった。渡し守よ、おん身も正道《しょうどう》をさぐり求めるものではないか」

シッダールタは老いた目でほほえみながら言った。「おん身はみずからをさぐり求めるものと呼ばれるのか、おん僧よ。おん身はすでに高齢に達しているのに、ゴータマの修行僧の衣をまとっておられるのか」

「いかにも私は年老いている」とゴーヴィンダは言った。「だが、さぐり求めることをやめていない。さぐり求めることを決してやめないだろう。これが自分の天命だと思われる。おん身もさぐり求めて来たと思われる。ひとこと私に話してはくれまいか、尊敬する人よ」

シッダールタは言った。「私がおん身に何の語るべきことがあろうか、おん僧よ。おん身はあまりにさぐり求めすぎる、とでも言うべきかもしれない。さぐり求めるために見いだすに至らないのだとでも」

「いったいどうして？」とゴーヴィンダはたずねた。

「さぐり求めると」とシッダールタは言った。「その人の目がさぐり求めるものだけを見る、ということになりやすい。また、その人は常にさぐり求めたものだけを考え、一つの目標を持ち、目標に取りつかれているので、何ものをも見いだすことができず、何ものをも心の中に受け入れることができない、ということになりやすい。さぐり求めるとは、目標を持つことである。これに反し、見いだすとは、自由であること、心を開いていること、目標を持たぬことである。おん僧よ、おん身はたぶん実際さぐり求める人であろう。おん身は目標を追い求めて、目の前にあるいろいろなものを見ないのだから」

「まだ私には十分よくわからない。それはどういう意味だろう?」とゴーヴィンダはきいた。

シッダールタは言った。「かつて幾年も前おん身は一度この川に来たことがあった。そして川べに眠っている男を見つけて、そのそばにすわり、眠りの番をしてやった。だが、おおゴーヴィンダよ、おん身は眠っている男がだれであるかわからなかった」

驚き、魔法にでもかかったように、僧は渡し守の目をのぞきこんだ。

「おん身はシッダールタか」と彼はおどおどした声でたずねた。「こんども気づかぬところだった! 心からのあいさつを受けておくれ、シッダールタよ。おん身にまた会えて心からうれしい! おん身はたいそう変った、友よ。——では、おん身は渡し守となったのか」

打ちとけてシッダールタは笑った。「渡し守だ、そうだよ。ゴーヴィンダよ、大いに変らなければならない人、さまざまの衣服をまとわなければならない人が少なくない。私はそういう人のひとりだ。ようこそ、ゴーヴィンダ、今夜は私の小屋に泊るがよい」

ゴーヴィンダはその夜、小屋に泊り、かつてヴァズデーヴァの寝床であった寝床に眠った。彼は若いころの友にいろいろとたずねた。シッダールタは自分の生涯のことを何くれと語ってやらねばならなかった。

翌朝その日の旅にのぼる時間が来ると、ゴーヴィンダはためらいがちにこう言った。「旅を続ける前にシッダールタよ、も一つ、たずねることを許してもらいたい。おん身は教えを持っておられるか。おん身は信仰、あるいは、おん身がそれに従う知恵、おん身が生きていき、正しく行う助けとなる知恵を持っておられるか」

シッダールタは言った。「おん身も知っているとおり、私は若いころすでに、森のざんげ者のもとで暮した当時、教えや師を疑い、それに背を向けるようになった。それは終始変らなかった。だが、私はやはりそれ以来たくさんの師を持った。美しい遊女が長いあいだ私の師だった。富裕な商人が、そして数人の賭博者《とばくしゃ》が私の師だった。あるときは、遍歴の仏弟子も私の師だった。私が森で眠りこんでいると、彼は遍歴中私のそばにすわっていてくれた。彼からも私は学んだ。私は彼にも感謝している。大いに感謝している。だが、私がいちばん多くを学んだのは、この川からだ。私の先達、渡し守ヴァズデーヴァからだ。彼ヴァズデーヴァはきわめて単純な人で、思索家ではなかったが、ゴータマと同様に必然の理をわきまえていた。彼は完全な人、聖人だった」

ゴーヴィンダは言った。「おおシッダールタよ、おん身は相変らずいささか嘲《あざけ》りを好むらしい。私はおん身の言うことを信じる。またおん身が師に従わなかったことを知っている。だが、教えではないとしても、やはりある思想、ある認識を、おん身自身のもので、おん身の生きるようすがとなったものを、みずから見いだしはしなかったか。それについて何か話してくれたら、私は心からうれしく思うだろう」

シッダールタは言った。「私は思想を、たしかに、そして認識を時として持ったことがある。人が生命を心の中に感じるように、私もおりおり一時間か一日のあいだ知識を心中に感じたことがある。それはいろいろな思想であったが、それをおん身に伝えるのは、私にはむずかしいだろう。ゴーヴィンダよ、知恵は伝えることができない、というのが私の発見した思想の一つだ。賢者が伝えようと試みる知恵はいつも痴愚のように聞える」

「冗談を言われるのか」とゴーヴィンダはきいた。

「冗談を言いはしない。私は自分の発見したことを言っているのだ。知識は伝えることができるが、知恵は伝えることができない。知恵を見いだすことはできる。知恵を生きることはできる。知恵に支えられることはできる。知恵で奇跡を行うことはできる。が、知恵を語り教えることはできない。これこそ私がすでに青年のころほのかに感じたこと、私を師から遠ざけたものだ。私は一つの思想を見いだした。ゴーヴィンダよ、おん身はそれをまたしても冗談あるいはばかげたことと思うだろうが、それこそ私の最上の思想なのだ。それは、あらゆる真理についてその反対も同様に真実だということだ！　つまり、一つの真理は常に、一面的である場合にだけ、表現され、ことばに包まれるのだ。思想でもって考えられ、ことばでもって言われうることは、すべて一面的で半分だ。すべては、全体を欠き、まとまりを欠き、統一を欠いている。崇高なゴータマが世界について説教したとき、彼はそれを輪廻《りんね》と涅槃《ねはん》に、迷いと真《まこと》、悩みと解脱《げだつ》とに分けなければならなかった。ほかにしようがないのだ。教えようと欲するものにとっては、ほかに道がないのだ。だが、世界そのものは、われわれの周囲と内部に存在するものは、決して一面的ではない。人間あるいは行為が、全面的に輪廻であるか、全面的に涅槃である、ということは決してない。人間は全面的に神聖であるか、全面的に罪にけがれている、ということは決してない。そう見えるのは、時間が実在するものだという迷いにとらわれているからだ。時間は実在しない、ゴーヴィンダよ、私はそのことを実にたびたび経験した。時間が実在でないとすれば、世界と永遠、悩みと幸福、悪と善の間に存するように見えるわずかな隔たりも一つの迷いにすぎないのだ」

「どうして？」とゴーヴィンダは不安そうにたずねた。

「よく聞きなさい、友よ、よく聞きなさい！　私もおん身も罪びとである。現に罪びとである。だが、この罪びとはいつかはまた梵《ぼん》になるだろう。いつかは涅槃に達するだろう。仏陀《ぶっだ》になるだろう。さてこの『いつか』というのが迷いであり、たとえにすぎない！　罪びとは仏性への途上にあるのではない。発展の中にあるのではない。われわれの考えでは事物をそう考えるよりほか仕方がないとはいえ。――いや、罪びとの中に、今、今日すでに未来の仏陀がいるのだ。彼の未来はすべてすでにそこにある。おん身は罪びとの中に、おん身の中に、一切衆生《いっさいしゅじょう》の中に、成りつつある、可能なる、隠れた仏陀をあがめなければならない。ゴーヴィンダよ、世界は不完全ではない。完全さへゆるやかな道をたどっているのでもない。いや、世界は瞬間瞬間に完全なのだ。あらゆる罪はすでに慈悲をその中に持っている。あらゆる幼な子はすでに老人をみずからの中に持っている。あらゆる乳のみ子は死をみずからの中に持っている。死のうとするものはみな永遠の生をみずからの中に持っている。いかなる人間にも、他人がどこまで進んでいるかを見ることは不可能である。強盗やばくち打ちの中で仏陀が待っており、バラモンの中で強盗が待っている。深い冥想《めいそう》の中に、時間を止揚し、いっさいの存在した生命、存在する生命、存在するであろう生命を同時的なものと見る可能性がある。そこではすべてが良く、完全で、梵である。それゆえ、存在するものは、私にはよいと見える。死は生と、罪は聖と、賢は愚と見える。いっさいはそうなければならない。いっさいはただ私の賛意、私の好意、愛のこもった同意を必要とするだけだ。そうすれば、いっさいは私にとってよくなり、私をそこなうことは決してありえない。抵抗を放棄することを学ぶためには、世界を愛することを学ぶためには、自分の希望し空想した何らかの世界や自分の考え出したような性質の完全さと、この世界を比較することはもはややめ、世界をあるがままにまかせ、世界を愛し、喜んで世界に帰属するためには、自分は罪を大いに必要とし、歓楽を必要とし、財貨への努力や虚栄や、極度に恥ずかしい絶望を必要とすることを、自分の心身に体験した。――おおゴーヴィンダよ、これが私の心に浮んだ思想の二、三なのだ」

シッダールタはかがんで、地面から一つの石を拾いあげ、手のひらで軽く動かした。

「これは石だ」と彼は戯《たわむ》れながら言った。「石はおそらく一定の時間のうちに土となるだろう。土から植物、あるいは動物、あるいは人間が生じるだろう。昔なら私はこう言ったただろう。『この石は単に石にすぎない。無価値で、迷いの世界に属している。だが、石は変化の循環の間に人間や精神にもなれるかもしれないから、そのゆえにこれにも価値を与える』。以前ならたぶん私はそう言っただろう。だが、今日では私はこう考える。この石は石である。動物でもあり、神でもあり、仏陀でもある。私がこれをたっとび愛するのは、これがいつかあれやこれやになりうるだろうからではなく、ずっと前からそして常にいっさいであるからだ。――これが石であり、今日いま私に石として現われているがゆえにこそ、私はこれを愛し、その条紋やくぼみのすべての中に、黄色の中に、灰色の中に、硬さの中に、たたけばおのずと発するひびきの中に、その表面の乾湿の度合いの中に、価値と意味を見る。油のような手ざわりの石も、シャボンのような手ざわりの石もある。葉のようなのも、砂のようなのもある。それぞれ特殊で、それぞれの流儀でオームをとなえている。どれもが梵である。が、同時に、同様に、石である。油のようであったり、シャボンのようであったりする。そのことこそ私の意にかない、驚嘆すべく、礼拝に値するように思われる。――だが、これ以上それについてことばを費やすのはやめよう。ことばは内にひそんでいる意味をそこなうものだ。ひとたび口に出すと、すべては常にすぐいくらか違ってくる、いくらかすりかえられ、いくらか愚かしくなる。――そうだ、それも大いによく、大いに私の意にかなう。ある人の宝であり知恵であるものが、ほかの人にとっては常に痴愚のように聞えるということにも、私は大いに同感だ」

ゴーヴィンダは黙々と傾聴していた。

「なぜおん身はそれを石について言ったのか」と彼は間《ま》をおいてためらいがちにた

ずねた。

「何の下心もなかったのだ。あるいはひょっとしたら、自分はほかならぬ石や川や、自分たちが観察し、学ぶことのできるこれらいっさいのものを、愛するということを言おうとしたのかもしれない。一つの石を私は愛することができる、ゴーヴィンダよ。一本の木や一片の樹皮をも。——それは物だ。物を人は愛することができる。だが、ことばを愛することはできない。だから、教えは私には無縁だ。教えは硬さも、柔らかさも、色も、かども、においも、味も持たない。教えはことばしか持たない。たぶんおん身が平和を見いだすのを妨げているのは、それだ。たぶんことばの多いことだ。解脱も徳も、輪廻も涅槃も単なることばにすぎないからだ、ゴーヴィンダよ。涅槃であるような物は存在しない。涅槃ということばが存在するばかりだ」

ゴーヴィンダは言った。「友よ、涅槃はことばであるだけでなく、思想である」

シッダールタは話し続けた。「思想、そうであるかもしれない。おん身に打ちあけなければならないが、私は思想とことばの間に大きな区別を認めないのだ。ありていに言えば、私は思想をもあまり重んじない。私は物のほうを重んじる。たとえばこの渡し舟では、ひとりの人が私の先達であり、師であった。聖者で、多年ただ川を信じ、ほかのものは何も信じなかった。川の声が彼に話しかけるのに気づき、その声から学んだ。その声が彼をはぐくみ教えた。川は彼には神と思われた。長い年月の間、どんな風も、どんな雲も、どんな鳥も、どんな甲虫も、尊敬すべき川と全く同様に神性を有し、同様に多くを知り、教えることができる、ということを彼は知らなかった。だが、この聖者は森に入って行ったとき、いっさいを知っていた。おん身と私より以上に知っていた。師も書物も持たなかったが、ただ川を信じていたがゆえに」

ゴーヴィンダは言った。「だが、おん身が『物』と呼ぶものは、実存するもの、実体のあるものであろうか。それはマーヤ（迷い）のあざむき、形象、幻影にすぎないのではないか。おん身の石、木、川——それらはいったい実在であろうか」

「それもさして私は意に介しない。物が幻影であるとかないとか言うなら、私も幻影だ。物は常に私の同類だ。物は私の同類だということ、それこそ、物を私にとって愛すべく、とうとぶべきものにする。だから私は物を愛することができる。この教えにはおん身は笑うことだろうが、愛こそ、おおゴーヴィンダよ、いっさいの中で主要なものである、と私には思われる。世界を透察し、説明し、けいべつすることは、偉大な思想家のすることであろう。だが、私のひたすら念ずるのは、世界を愛しうること、世界をけいべつしないこと、世界と自分を憎まぬこと、世界と自分と万物を愛と賛嘆と畏敬《いけい》をもってながめうることである」

「それはわかる」とゴーヴィンダは言った。「だが、それこそ、彼、覚者《かくしゃ》は幻覚と認識された。彼は好意といたわりと同情と寛容とを命じるが、愛を命じはしない。彼はわれわれに、心を愛によって地上のものにつなぐことを禁じた」

「それは知っている」とシッダールタは言った。彼の微笑は金色の光を放った。「それは知っている、ゴーヴィンダよ。気をつけるがよい。その点でわれわれは意見のやぶの中に、ことばのための争いの中に巻きこまれている。愛についての私のことばがゴータマのことばと矛盾していること、一見矛盾していることを、私は否定できない。だからこそ私はことばをひどく疑うのだ。この矛盾は錯覚であることを、私は知っているからだ。私はゴータマと一致していることを知っている。ゴータマがどうして愛を知らないことがあろう！　いっさいの人間存在をその無常において、虚無において認識しながら、しかも人間をあつく愛し、辛苦に満ちた長い生涯をひたすら、人間を助け、教えることにささげたゴータマが、どうして愛を知らないことがあろう！　あの人、おん身の偉大な師の場合でも、私にとって物はことばより好ましい。彼の行為と生活は彼の説教より重要だ。彼の手ぶりは意見より重要だ。説教や思索にではなく、行為や生活の中にだけ、私は彼の偉大さを見る」

長い間ふたりの老人は黙っていた。それからゴーヴィンダは別れの礼をしながら言った。「シッダールタよ、おん身の考えについてそのように話してくれたことに、私は感謝する。部分的には奇妙な考えで、全部がすぐに私にわかったわけではない。それはどうあろうと、私はおん身に感謝する。安らかな日を送られるように！」

（だが彼は心ひそかに考えた。このシッダールタは奇妙な人だ。奇妙な考えを口にする。彼の教えは愚かしく聞える。正等覚者《しょうとうかくしゃ》の純粋な教えは異なったひびきを持っている。もっと明らかで、もっと清らかで、もっとわかりよい。奇妙なもの、愚かしいもの、おかしいものは、その中に一つも含まれていない。しかしシッダールタの手足、目、額、呼吸、微笑、あいさつ、足どりは、その思想とは異なっているように見える。われわれの崇高なゴータマが涅槃に入って以後、これこそ聖者だ！と感じたような人には、ただの一度も会っていない。ただ、このシッダールタだけは聖者だ、と思った。彼の教えが奇妙であろうと、彼のことばがばからしく聞えようと、彼のまなざしと手は、彼の皮膚と髪は、彼のいっさいは、清らかさを、安らかさを、朗らかさと柔和さと神聖さを放っている。それは、崇高な師の入滅以来、ほかの人にはついぞ見られないものだった）

ゴーヴィンダはこう考え、心に反発を感じながらも、愛に引かれて、もう一度シッダールタにお辞儀をした。静かにすわっている人の前に彼は深くお辞儀をした。

「シッダールタよ」と彼は言った。「われわれは老人になった。お互いにこの姿でまた会うことはむずかしいだろう。おん身は平和を見いだしたようだ。私は平和を見いださなかったことを告白する。尊敬する友よ、もう一言いってほしい。私がとらえうるもの、理解しうるものを何か、与えてほしい！　旅のはなむけに何かを与えてほしい。私の道はしばしば困難で、暗いのだ、シッダールタよ」

シッダールタは無言で、いつも変らぬ静かな微笑をたたえて相手を見つめた。ゴーヴィンダは不安とあこがれをもってじっと彼の顔をのぞきこんだ。悩みと永遠の模索、永遠に発見に至らない模索がそのまなざしにしるされていた。

シッダールタはそれを見て、ほほえんだ。

「私の方にかがんで！」と彼はそっとゴーヴィンダの耳にささやいた。「私の方にかがんで！　そう、もっと近く！　ずっと近く！　私の額に口づけしておくれ、ゴーヴィンダ！」

ゴーヴィンダがいぶかしげに、しかし大きな愛と予感に引きつけられて、彼のことばに従い、ぐっと彼の方にかがんで、額にくちびるをつけると、彼にとって何か尋常でないことが起きた。彼の考えがまだシッダールタの不思議なことばにこだわっている間に、時間を頭の中で滅却し、涅槃と輪廻を同一のものと考えようと、逆らいながらむなしく努力している間に、友のことばに対する一種のけいべつが彼の心中で大きな愛と畏敬とを相手に戦っている間に、次のようなことが起った。

彼の友シッダールタの顔がもう見えなくなって、そのかわりにほかのたくさんの顔が見えた。たくさんの顔、百も千もの顔の長い列、流れる川が見えた。それが現われては消えたが、みんな同時にそこにあるように見えた。そのすべてが絶えず変り、新たになった。が、そのすべてがシッダールタであった。魚の顔、はてしもなく苦しそうに口をあけたコイの顔、目を曇らせて死にかかっている魚の顔が見えた。生れたばかりの、赤く、しわだらけの、泣き出しそうにゆがんでいる顔が見えた。

――人殺しの顔が見えた。彼が刃物を人間の腹に突き刺すのが見えた。――同じ瞬間に、その犯罪人が縛られてひざまずき、刑吏に刀で首をはねられるのが見えた。男女の肉体が裸で狂乱の恋の攻防をしているのが見えた。死体が手足をのばしてじっと冷たく空虚に倒れているのが見えた。――イノシシ、ワニ、象、雄牛、鳥など、動物の頭が見えた。神々が、クリシュナ*（苦理修那）神が、アグニ*（阿耆尼）神が見えた。――すべてこれらの姿と顔が互いに無数の関係を持ち、互いに助け合い、愛し合い、憎み合い、滅ぼし合い、新しく産み合っているのが見えた。どれもが死のうとする意志、無常の痛切な告白であった。しかも、どれもが死にはせず、変化するだけだった。絶えず新しく産み出され、絶えず新しい顔を与えられた。しかし、一つ一つの顔の間には時間が存在してはいなかった。――すべてこれらの姿と顔は静止し、流れ、産み、ただよい去り、合流した。いっさいのものを、絶えず何か薄いもの、ふわりとしたもの、しかも存在するものが、おおっていた。薄いガラスか氷のように、透明な膜のように、水の皮か形か仮面のように。その仮面が微笑した。それは、ゴーヴィンダがたった今くちびるで触れたシッダールタの微笑する顔だった。こうしてゴーヴィンダは見た。仮面のこの微笑、流れる姿の上にただよう統一の微笑、無数の生死を超えた同時性の微笑、シッダールタのこの微笑は、彼自身いくどとなく畏敬をもって見たゴータマ、すなわち仏陀の微笑と全く同じだった。あのいつも変らぬ、静かな、美しい、はかり知れぬ、おそらくやさしい、おそらく嘲《ちょう》笑的《しょうてき》な、賢い、千様もの仏陀の微笑であった。完成された人はこのように微笑することを、ゴーヴィンダは知っていた。

時間が存在するかどうかを知らず、この観察の続いたのが一秒であったか、百年であったか知らず、シッダールタなるもの、ゴータマなるものが存在するのかどうか、我となんじが存在するのかどうかも知らず、心の奥深くに神々《こうごう》しい矢で甘い味のする傷を負わされ、心の奥深くを魅了され、溶かされて、ゴーヴィンダはなおしばし、口づけしたばかりのシッダールタの静かな顔の上にかがんでいた。その顔は、今しがたまであらゆる姿、あらゆる生成、あらゆる存在の舞台であったが、その表面の下で千変万化の深い神秘が幕を閉じた後は、不変不動であった。彼は静かに微笑した。かすかに穏やかに微笑した。おそらく非常にやさしく、おそらく非常に嘲笑的に、覚者が微笑したときそっくりに。

深くゴーヴィンダは頭をさげた。なんとも知れない涙が老いた顔に流れた。無上に深い愛と、無上につつましい尊敬の感情が心の中で火のように燃えた。身動きもせずにすわっている人の前に、彼は深く地面まで頭をさげた。その人の微笑が彼に、彼が生涯《しょうがい》の間にいつか愛したことのあるいっさいのものを、彼にとっていつか生涯の間に貴重で神聖であったいっさいのものを思い出させた。

注解

この注解は、「仏教語大辞典」（中村元著）と「コンサイス・仏教辞典」（宇井伯寿監修）とヘッセ「シッダルタ」の三井光彌訳の注とによった。漢字の表記に一致しない場合があるが、適当だと思われるのに従った。

（ページ）

七 *バラモン　波羅門。インド民族四階級の最高位たる僧侶《そうりょ》、司祭の階級。

八 *オーム　唵。完成の意。祈りの初めと終りに用いる儀礼語。

*アートマン　真我。本来は「気息」の意。生霊、魂、宇宙我などを意味する。

一〇 *リグ・ヴェーダ　梨倶吠陀。太古の賛美歌集。ヴェーダは「知」「神知」の意。

一一 *プラジャパティ　生主。万物を創造し支配する最高神。

一二 *サーマ・ヴェーダ　沙磨吠陀。賛歌に音楽を付し、祭式に用いるもの。

*奥義書《おうぎしょ》　ウパニシャド。秘義、秘密伝授の書。ヴェーダを哲学的に説いたもの。種類がたくさんある。

一四 *チャーンドーギャ　サーマ・ヴェーダに属する奥義書。

*梵《ぼん》　ブラフマン。最高原理または最高神。

三一 *ゴータマ　瞿曇または喬答摩。種族の姓で、釈尊《しゃくそん》もこの姓であった。

＊正等覚《しょうとうがく》 諸法を覚知したもの。

三三 ＊マガダ 摩訶陀。仏陀時代の大国の一つ。摩訶は大の意。

三七 ＊舎衛城《しゃえじょう》 釈尊がしばしば説教したコーサラ国の都。

四二 ＊四諦《したい》 四つの真理、苦集滅道をさす。苦は生老病死など。集は煩悩《ぼんのう》の集まり。滅は苦集を滅した悟り。道はその悟りに至る修行。

＊八正道《はっしょうどう》（八聖道） 悟りに至る修行の基本の八徳目。

五四 ＊ヨーガ・ヴェーダ 瑜伽吠陀。ヨーガは「相応」の義。修行の一方法。

＊アタルヴァ・ヴェーダ 阿達婆吠陀。日常の祈念修法に用いる祭歌を集めたもの。

五五 ＊マーラ 魔羅。修行の妨げとなるもの。悪魔。

六九 ＊ヴィシュヌ 毘紐拏（仏教語大辞典）。ヒンズー教の三主神の一つ。宇宙維持の神。

一九二 ＊クリシュナ 苦理修那。ヴィシュヌの十大権化の一つ。

＊アグニ 阿耆尼。インドの火神。

解説

高橋健二

『シッダールタ』が、「インドの詩」という副題をもって刊行されたのは一九二二年である。(Siddhartha, Eine indische Dichtung)

やがて、一九三一年、この作品に、『子どもの心』、『クラインとワグナー』、『クリングゾルの最後の夏』と三つの中編が加えられて、『内面への道』という題の本になった。(Weg nach Innen)

そして、ヘッセの七十五歳の記念に出た作品集では、『内面への道』という題が消えて、『シッダールタ』は独立し、右記三つの中編は、初版の場合と同じように『クリングゾル』(Klingsor) という題のもとに一括された。

『シッダールタ』は、『デミアン』と右記の三中編に続いて、一九一九年に書きはじめられた。第一次大戦の停戦後まもなくである。戦争中、非戦論をとなえたため、ヘッセは、母国ドイツから裏切り者として白眼視され、苦境におちいった。対外的にだけでなく、内的にもヘッセは、いままでの精神的な平和を失って、極度の混乱に悩まされたうえ、戦争犠牲者慰問の仕事の過労がかさなったため、ノイローゼにかかった。その前から精神病だった妻の病状が悪化したので、ヘッセは自滅を避けるべく、妻子と別れ、南スイスの山紫水明の地モンタニョーラにのがれて、心のおもむくままにボヘミアン的に生きようとした。

すでに戦争が終るとともに、戦争中抑圧されていたものが、せきを切ったように、あふれ出ていた。『シッダールタ』が書きはじめられるまでの一年ほどは、ヘッセの一生を通じ、最も生産的な時期であった。そして、この作品も第一部はすぐでき、一九二〇年に『新展望』誌に発表されたが、第二部にかかると、ぱったり筆がとまってしまった。解脱《げだつ》するシッダールタを描くまでにヘッセの体験が熟していなかったからであろう。思想として解脱を書くことは、すでに二十年もインド思想を研究していたヘッセにとって、さして困難ではなかったであろう。しかし、ヘッセにとっては、作品中に述べられているように、思想やことばは重要ではなかった。救われる体験の秘密が問題であった。その宗教的体験の告白を、ここにシッダールタという具体的人物に託して、象徴的に書こうとしたのである。それは容易なことではなかった。「そのとき、もちろん、初めてではなかったが、いつよりもきびしく、自分の生活しなかったことを書くのは無意味だという経験をした」と彼は表白している。彼はあらためて、禁欲、瑜伽《ゆが》の行《ぎょう》にいそしんだ。

そういう回り道をしたため、長からぬこの作品が刊行されるまでには、三年もかかった。初版では、第一部は、戦争中から親交を結んでいたロマン・ロランに、第二部は、当時日本にいたいとこW・グンデルトにささげられた。後にこの献詞ははぶかれたが、書かれた当時を記念するため、この訳書には、献詞を残しておいた。

この作品で、ヘッセは、シッダールタ（悉達太子）という釈尊の出家以前の名を借り、悟りに達するまでの求道者の体験の奥義を探ろうとした。『シッダールタ』は、成就《じょうじゅ》したもの（シッドハ）と、目的（アールトハ）との結びついたことばによっているが、涅槃《ねはん》に入った仏陀《ぶっだ》の教えを説いたり、成道を賛美したりするのでなく、あくまでヘッセ自身の宗教的体験の告白である。その体験の切実さと探求の独自性と、リズミカルに美しく、単純で含蓄に富む文章とによって、『シッダールタ』は、ヘッセの芸術の一頂点をなしている。――この作品は多くの問題を含んでいるので、研究文献もたくさん出ている。その詳細は、簡単には尽しがたいので、拙著『ヘルマン・ヘッセ、危機の詩人』（新潮社版）にゆずることとする。

なお、この作品はインド本国で注目され、十二のインドの方言に翻訳され、作者をよろこばせた。その他の国語に翻訳されている件数でも、ヘッセの作品中、最も多いほうである。ドイツ版も一九七〇年までに通算四十一万部に達し、ヘッセの作品中のベスト・ファイブに入っている。

このたび改版に際し、読みよくするように、いくらか手を加えた。

（一九九二年一月）

ヘッセ
高橋健二訳
春の嵐

暴走した橇と共に、少年時代の淡い恋と健康な左足とを失った時、クーンの志は音楽に向った……。幸福の意義を求める孤独な魂の歌。

ヘッセ
高橋健二訳
デミアン

主人公シンクレールが、友人デミアンや、孤独な神秘主義者の音楽家の影響を受けて、真の自己を見出していく過程を描いた代表作。

ヘッセ
高橋健二訳
車輪の下

子供の心を押しつぶす教育の車輪から逃れようとして、人生の苦難の渦に巻きこまれていくハンスに、著者の体験をこめた自伝的小説。

ヘッセ
高橋健二訳
青春は美わし

二十世紀最大の文学者といわれるヘッセの、青春時代の魂の記録。孤独な漂泊者の郷愁が美しい自然との交流の中に浮びあがる名作。

ヘッセ
高橋健二訳
クヌルプ

漂泊の旅を重ねながら自然と人生の美しさを見出して、人々に明るさを与えるクヌルプ。その姿に永遠に流浪する芸術家の魂を写し出す。

ヘッセ
高橋健二訳
郷愁

都会での多くの経験の後で、自然の恵み深い故郷の小さな町こそ安住の地と悟った少年に、作者の自画像を投影させたヘッセの処女作。

ヘッセ
高橋健二訳
知と愛
ナルチスによって、芸術に奉仕すべき人間であると教えられたゴルトムント。人間の最も根源的な欲求である知と愛を主題とした作品。

ヘッセ
高橋健二訳
荒野のおおかみ
複雑な魂の悩みをいだく主人公の行動に託し、機械文明の発達に幻惑されて己れを見失った同時代人を批判した、著者の自己告白の書。

ヘッセ
高橋健二訳
メルヒェン
おとなの心に純粋な子供の魂を呼びもどし、清らかな感動へと誘うヘッセの創作童話集。「アウグスツス」「アヤメ」など全8編を収録。

ヘッセ
高橋健二訳
幸福論
多くの危機を超えて静かな晩年を迎えたヘッセの随想と小品。はぐれ者のからすにアウトサイダーの人生を見る「小がらす」など14編。

高橋健二訳
ヘッセ詩集
ドイツ最大の抒情詩人ヘッセ——十八歳の頃の処女詩集より晩年に至る全詩集の中から、各時代を代表する作品を選びぬいて収録する。

ゲーテ
高橋義孝訳
若きウェルテルの悩み
ゲーテ自身の絶望的な恋の体験を作品化した書簡体小説。許婚者のいる女性ロッテを恋したウェルテルの苦悩と煩悶を描く古典的名作。

T・マン
高橋義孝訳

トニオ・クレーゲル ヴェニスに死す

ノーベル文学賞受賞

美と倫理、感性と理性、感情と思想のように相反する二つの力の板ばさみになった芸術家の苦悩と、芸術を求める生を描く初期作品集。

T・マン
高橋義孝訳

魔の山（上・下）

死と病苦、無為と頽廃の支配する高原療養所で療養する青年カストルプの体験を通して、生と死の谷間を彷徨する人々の苦闘を描く。

リルケ
高安国世訳

若き詩人への手紙・若き女性への手紙

精神的苦悩に直面している青年に、苛酷な生活を強いられている若い女性に、孤独の詩人リルケが深い共感をこめながら送った書簡集。

富士川英郎訳

リルケ詩集

現代抒情詩の金字塔といわれる「オルフォイスへのソネット」をはじめ、二十世紀ドイツ最大の詩人リルケの独自の詩境を示す作品集。

リルケ
大山定一訳

マルテの手記

青年作家マルテをパリの町の厳しい孤独と貧しさのどん底におき、生と死の不安に苦しむその精神体験を綴る詩人リルケの魂の告白。

E・レナード
村上春樹訳

オンブレ

「男《オンブレ》」の異名を持つ荒野の男ジョン・ラッセル。駅馬車強盗との息詰まる死闘を描いた傑作西部《ウェスタン》小説を、村上春樹が痛快に翻訳！

新潮文庫の新刊

永井紗耶子著
木挽町のあだ討ち
直木賞・山本周五郎賞受賞
「あれは立派な仇討だった」と語られる、あだ討ちの真実とは。人の情けと驚愕の結末が感動を呼ぶ。直木賞・山本周五郎賞受賞作。

武内　涼著
厳　島
野村胡堂文学賞受賞
謀略の天才・毛利元就と忠義の武将・弘中隆兼の激闘の行方は――。戦国三大奇襲のひとつ〝厳島の戦い〟の全貌を描き切る傑作歴史巨編。

近衛龍春著
伊勢大名の関ヶ原
男装の〈姫武者〉現る！　三十倍の大軍毛利・吉川勢と戦った伊勢富田勢。戦国の世を生き抜いた実在の異色大名の史実を描く傑作。

望月諒子著
野火の夜
血染めの五千円札とジャーナリストの死。木部美智子が取材を進めると二つの事件に思わぬつながりが――超重厚×圧巻のミステリー。

藤野千夜著
ネバーランド
同棲中の恋人がいるのに、ミサの家に居候を始めた隆文。出禁を言い渡されても隆文は態度を改めず……。普通の二人の歪な恋愛物語。

平松洋子著
筋肉と脂肪　身体の声をきく
筋肉は効く。悩みに、不調に、人生に。アスリートや栄養士、サプリや体脂肪計の開発者に取材し身体と食の関係に迫るルポ&エッセイ。

新潮文庫の新刊

M・ブルガーコフ
石井信介訳
巨匠とマルガリータ
スターリン独裁下の社会を痛烈に笑い飛ばし、人間の善と悪を問いかける長編小説。哲学的かつ挑戦的なロシア文学の金字塔！

M・エンリケス
宮﨑真紀訳
秘儀（上・下）
〈闇〉の力を求める〈教団〉に追われる、異能をもつ父子。対決の時は近づいていた――。ラテンアメリカ文壇を席巻した、一大絵巻！

企画・デザイン
大貫卓也
マイブック
―2026年の記録―
これは日付と曜日が入っているだけの真っ白い本。著者は「あなた」。2026年の出来事を綴り、オリジナルの一冊を作りませんか？

月原渉著
巫女は月夜に殺される
生贄か殺人か。閉じられた村に絶叫が響いた――。特別な秘儀、密室の惨劇。うり二つの〈巫女探偵〉姫菜子と環希が謎を解く！

焦田シューマイ著
外科医キアラは死亡フラグを許さない
―死人だらけのシナリオは、前世の知識で書きかえます―
医療技術が軽視された世界に転生してしまった天才外科医が令嬢姿で患者を救う！　大人気転生医療ファンタジー漫画完全ノベライズ。

柚木麻子著
らんたん
この灯は、妻や母ではなく、「私」として生きるための道しるべ。明治・大正・昭和の女子教育を築いた女性たちを描く大河小説！

Title : SIDDHARTHA
Author : Hermann Hesse

シッダールタ

新潮文庫　へ - 1 - 11

昭和四十六年　二　月十五日　発　行
平成二十四年　六　月二十五日　七十一刷改版
令和　七　年　十　月二十五日　八十四刷

訳　者　高《たか》橋《はし》健《けん》二《じ》
発行者　佐藤隆信
発行所　株式会社　新潮社
郵便番号　一六二—八七一一
東京都新宿区矢来町七一
電話　編集部(〇三)三二六六—五四四〇
　　　読者係(〇三)三二六六—五一一一
https://www.shinchosha.co.jp

価格はカバーに表示してあります。

乱丁・落丁本は、ご面倒ですが小社読者係宛ご送付ください。送料小社負担にてお取替えいたします。

印刷・錦明印刷株式会社　製本・株式会社大進堂

ISBN978-4-10-200111-0 C0197